LE MASQUE
Collection de romans d'aventures
créée et dirigée par
ALBERT PIGASSE

LA MORTE
SURVIT AU 13

Né en 1908 à Liège, S.A. Steeman, après une collaboration de cinq romans avec Saintair, décide de se consacrer seul à l'écriture policière. Vingt-sept de ses romans
ont pour héros Wenceslas Vorobeitchik, alias M. Wens,
et les plus célèbres d'entre eux ont donné lieu à des
films non moins célèbres, que ce soit *L'assassin habite
au 21* — sans M. Wens —, ou *Quai des Orfèvres*.
Surnommé par Cocteau le « Fregoli du roman policier »,
Steeman a remporté le second Grand Prix du Roman
d'Aventures en 1930. Il est mort en 1970.

ŒUVRES DE STANISLAS-ANDRÉ STEEMAN

S.A. Steeman

LA MORTE
SURVIT AU 13

Librairie des Champs-Élysées

Les personnages de ce roman appartiennent à la fiction et
toute ressemblance offerte par eux avec des contemporains,
vivants ou morts, serait fortuite ; serait également fortuite
toute rencontre de noms propres.

A Pierre FRESNAY,

*ce roman qui lui révélera
une ascendance inattendue.*

Amicalement.

I

MAISON CHAUDE

Adèle Grandchien – Mme Adèle pour ses clients et amis – opéra un quart de tour devant la psyché-accordéon qui lui renvoyait trois Adèle pour une.

A quarante-neuf ans, Mme Adèle défiait le retour d'âge. Un mètre soixante-quinze non chapeautée, quatre-vingt-dix-neuf centimètres de tour de poitrine, cinquante-sept de tour de taille. La fine moustache, soulignant la dureté de sa bouche mince, avait opportunément blanchi. Son chignon haut coiffé gardait la ferme rondeur d'une pelote. Ses seins lourds demeuraient sensibles à la moindre provocation. Ses fortes jambes de campagnarde, fleuries à mi-cuisses de jarretières héliotrope, tiraient toujours l'œil sous la transparence des bas noirs et le cache-cache des volants.

Soupirant en dedans, Mme Adèle se laça les bottines à talons-bobines, se serra le corset par-dessus la chemise de jour à jours et s'enfila le pantalon brodé. Dans le Midi, c'est bien connu, nul verbe qui ne soit pronominalement réfléchi. Mme Adèle se noua à bonne hauteur le jupon blanc de fond à

5

festons, puis le jupon de fête qui fait chanter la jupe. Elle se passa la robe olive à guimpe et la double chaîne d'argent en sautoir avec médaillon à secret et anneau porte-clefs.

Ce faisant, elle songeait à M. Albert. Albert, son défunt homme. Feu Albert se plaisait à répéter qu'une honnête femme se reconnaît à son linge et qu'une tenancière de bonne maison se doit d'en porter d'autant plus que ses pensionnaires en exhibent moins. Cela lui vaut l'estime unanime d'un chacun tout en inspirant des idées tangentielles à la clientèle.

Mme Adèle, comme chaque fois qu'elle évoquait feu Albert, écrasa une larme furtive. Cela ferait bientôt deux ans qu'il reposait aux Vieux Cimetière, bientôt deux ans qu'elle allait régulièrement le dimanche, après la messe d'onze heures, lui porter un bouquet d'immortelles. L'immortelle est une fleur au langage clair dont le prix demeure abordable en toute saison.

Mme Adèle retint un nouveau soupir. Sans doute feu Albert était-il normalement porté sur la bagatelle. Il existe un mot coûteux pour définir cette sorte de fringale. Sans doute l'avait-il trahie sans vergogne avec toutes « ses filles » et jusqu'avec la vieille Maria avant qu'elle devînt confite en dévotion. Sans doute éprouvait-il un ruineux penchant pour l'absinthe. Sans doute lui relevait-il plus souvent les jupes pour lui prendre son argent que pour lui témoigner son affection. Ces menus travers n'empêchaient pas qu'il fût un homme, un vrai, sachant parler doux à l'heure du berger et cogner dur à l'occasion. De surcroît, chargé d'expérience.

Mme Adèle devait-elle entreprendre un petit voyage, se rendre impromptu à Aix ou à Montauban? M. Albert, dédaignant d'ouvrir le Chaix, lui disait aussitôt quel train prendre, à quelle heure il était censé partir, à quelle heure il était censé arriver et s'il s'y trouvait un compartiment pour dames seules. Mme Adèle avait-elle quelque numéraire à placer? M. Albert, négligeant de consulter la moindre gazette boursière, savait incontinent quels titres acheter et à quelle date il importait d'en détacher les coupons. Mme Adèle venait-elle à s'alarmer d'un retard anormal? M. Albert lui remontrait de mémoire qu'elle s'était trompée dans ses calculs ou lui procurait une médecine dont elle éprouvait l'heureux effet dans les quarante-huit heures. M. Albert prévoyait, rafistolait tout. Aussi loin que Mme Adèle pût s'en souvenir, rien ne l'avait jamais pris de court. Rien, sauf la mort. Une mort misérable et solitaire sur les Remparts. M. Albert était allé s'y promener vers les minuit, histoire de se boire la dernière chez Titin. On l'y avait retrouvé au point du jour, le nez dans une touffe de basilic, le dos labouré à coups d'eustache par un lâche assassin qui courait toujours.

Mme Adèle se poudra le nez – elle se fardait peu, laissant cet artifice à « ses filles » – et se parfuma discrètement les dessous de bras. « Une femme a cela de commun avec une redoute qu'elle court le risque d'être emportée, à revers », disait feu Albert. Qu'il eût tort ou raison, le deuil le plus cruel n'entraîne pas la négligence.

On était samedi soir, jour d'affluence. Mme Adèle

se donna le dernier coup de peigne, se collant les frisures aux tempes d'un index mouillé de salive. Tout le monde serait bientôt là... Le juge de paix, le clerc de notaire, le docteur... *Lui aussi* probablement... Le seul homme, digne de ce nom, qui eût réussi à la troubler depuis le décès de M. Albert. Grand, fort, quoique svelte, portant barbe et moustaches... L'œil clair et pénétrant derrière le monocle... Libéral, désinvolte... Beau parleur, mais sachant écouter... Décoré du Nichan Iftikhar... Un homme? Pardon, un monsieur!

Mme Adèle retint un troisième soupir. Elle n'était pas près d'oublier feu Albert. Aucun « successeur » ne la persuaderait d'ôter la photographie ornant la tête de son lit, une mauvaise photographie anthropométrique, la seule qu'elle eût de lui, tachée par des empreintes de doigts. Mais les souvenirs ne chauffent pas les draps. Une femme ne saurait se passer de compagnon, spécialement une femme de quarante-neuf ans, faute de se retrouver vieille du jour au lendemain. Mme Adèle n'en doutait d'ailleurs pas : feu Albert aurait été le premier à la comprendre et lui pardonner. Mieux, il aurait approuvé son choix : feu Albert était féru de distinction.

Un faible coup de sonnette – la vieille Maria avait dû oublier une fois de plus d'entrebâiller la porte d'entrée à la brune – tira Mme Adèle de ses pensées. Elle était fin prête, couverte comme une ursuline. Restait à s'assurer que « les petites » avaient bien procédé en sens inverse, ne gardant sur elles que le strict superflu...

De bonnes petites, par chance, pas vicieuses pour

un sou, ne songeant qu'à se retirer à la campagne, épouser quelque cousin sans préjugé ou alimenter un enfant en nourrice. Sauf, peut-être, l'Odile. Mais l'Odile n'était pas comme les autres. Elle avait une spécialité. N'interroge pas les morts qui veut.

Quittant sa chambre dans le plus bouyroù des froufroug, Mme Adèle, l'œil vif, entreprit de passer la classique revue de détail...

M. Ventre, le voiturier, arriva le premier.

C'était un homme courtaud et sanguin, coiffé à la Bressant, qui ponctuait ses propros de clap-clap mouillés et autres irritants bruits de bouche généralement réservés aux chevaux d'humeur paresseuse. « Les petites » prétendaient qu'il leur regardait les dents pour leur deviner l'âge et n'aimait rien tant que leur claquer méchamment les fesses.

– La bonne nuit, ma bonne Maria! dit-il du seuil, s'épongeant le front à l'aide d'un mouchoir de couleur. Mon chapeau, je vous prie! Mes gants, mon cache-col, mon riflard... Mon pardessus, ghk!... Toujours le grasset musclé et la fourchette saine?

La vieille Maria lui jeta un regard noir :

– Le pantalon, vous vous le gardez?

Le ton manquait d'aménité, mais M. Ventre se flattait d'entendre la gaudriole :

– Provisoirement, ma bonne Maria, provisoirement! Ça ne vous paraît pas plus décent, ghk?...

Du pied, la vieille Maria repoussa la porte d'entrée avec humeur :

– Le plus décent serait que vous passiez la soirée avec votre femme et les enfançons!

M. Ventre tomba de son haut :

– Vous me prenez pour un autre. Vous oubliez que je suis peu marié.

Mais il en fallait davantage pour démonter la vieille servante :

– Bé, ça vous prive d'une excuse! Je vous plante là, j'ai des culottes à rincer...

M. Ventre porta dignement deux doigts à son faux col comme il l'avait vu faire par Fallières un 14 Juillet que le président était descendu sur la Côte. Quoiqu'il jouât la bonhomie, le remisier souffrait mal qu'on lui manquât, spécialement en ce bas lieu où il prétendait aux égards dont il était frustré par le gratin.

– Allez, allez, ghk! intima-t-il d'un ton sans réplique. Et cessez, je vous prie, de malmener mes effets. Je n'ai pas fini de les porter.

– Bonne Mère! s'exclama la vieille Maria, y jetant un regard de mépris. Vous me le dites!

M. Sénéchal, le pharmacien, arriva le second.

Pour ceux qui se plaisent à rapprocher l'homme de la gent animale, M. Sénéchal rappelait une biche maigre. Il en avait la barbiche bifide et la voix grêle. Il en avait le front plat, surmonté de mèches rares. « Les petites » l'appelaient Séné. Sans malice, par simple souci d'abréviation et, peut-être, amitié. Il en riotait tout le premier, prenant sur lui.

Les deux hommes se serrèrent mollement la main. M. Ventre reprochait à M. Sénéchal de sentir le phénol alors que le second reprochait au premier de sentir le crottin. M. Sénéchal trouvait M. Ventre vulgaire, M. Ventre tenait Séné pour demeuré.

– Que dit *Le Petit Journal?* s'informa le pharmacien par simple politesse. J'aime à croire que les inondations sont en régression?

– Ghk, ghk! fit M. Ventre, évasif.

– Pas de faits divers prêtant à commentaire?

– Si, justement, celui-ci!... « Par criminelle distraction, un potard de Narbonne met en péril la vie de six personnes »... Voyez vous-même.

– Diable! s'exclama M. Sénéchal, le regard accroché par un titre voisin. « Rupture de train due à un voiturier imprudent. Trois blessés, dont deux à l'article de la mort »... Voyez vous-même.

M. Ventre lui arracha la feuille des mains :

– Ghk, simple accident!

– A n'en pas douter, concéda M. Sénéchal, magnanime. « Un pharmacien presbyte confond deux ordonnances », lut-il à retardement. Simple méprise.

Quatre autres habitués du samedi soir – M. Giacobi, le juge de paix; M. Dunoyau, le clerc de Me Brun; M. Bonnet, directeur des Galeries-Parisiennes, et le Dr Gabrielle – arrivèrent peu après par paquet. Ils s'étaient rencontrés sur le mail, s'y étaient attardés à critiquer le gouvernement.

Ils n'avaient pas fini d'ôter leurs pardessus trempés de pluie quand apparut un septième familier : M. Vorobeïtchik (Wenceslas), tenant en laisse son boxer Referee, l'un remorquant l'autre, le premier freinant le second (1).

_____

(1) Il va sans dire qu'il s'agit ici de M. Vorobeïtchik père. A l'époque – la Belle Epoque –, Vorobeïtchik junior avait encore les fonds de culotte sur les bancs de l'école.

La vieille Maria, plongée dans l'eau javélisée jusqu'aux fanons, n'eut que le temps de courir au bas de l'escalier :

– Madame! Madame!

– Oui? questionna la voix lointaine de Mme Adèle.

La vieille Maria, dépassée, cherchait toujours ses mots quand M. Wens senior, l'attirant à soi par les épaules, lui ôta le souci de penser plus avant.

– Tous ces messieurs sont au salon! acheva-t-il pour elle. Paraissez, beautés!

Mme Adèle – encore une raison, et non la moindre, d'honorer la mémoire de feu Albert – pouvait se flatter que le 13 de la rue des Cultes éclipsât toute entreprise concurrente. Plus avantageuse de nature, elle aurait pu aller jusqu'à prétendre que « sa maison » n'avait pas sa pareille de Sète à Clermont-Ferrand.

De fait – à tout le moins le samedi soir – Mme Adèle y traitait ses hôtes moins en clients qu'en amis de longue date. L'amateur de musique était assuré d'y entendre un concerto de Beethoven ou un lied de Brahms enlevé au piano par Olga, le gastronome d'y déguster tel ou tel plat de son choix mitonné par Mireille, et Roland Dunoyau, veuf inconsolable, d'y converser avec l'esprit de sa chère disparue grâce aux interventions médiumniques d'Odile. Un visiteur non prévenu, frappant à l'huis par hasard, aurait cru pénétrer dans un salon bourgeois. Peut-être se fût-il brièvement étonné d'y trouver tant de jolies filles et si peu vêtues? Mais une femme a bien le droit de s'ôter l'excédent dans l'intimité, son accueil en paraît d'autant plus aimable. Et Mme Adèle eût tenu le pari : le visiteur égaré, fût-ce là son premier objectif, n'aurait pas plus longtemps cherché le Cercle Jeanne d'Arc.

Ceci dit, Mme Adèle détestait qu'on discutât politique sous son toit. Les discussions d'ordre politique vous échauffent la bile et incitent l'énervé comme l'innocent à dépaver la chaussée. Elle préférait de beaucoup, et s'y employait, que ces messieurs vinssent à s'entretenir, par manière de hors-d'œuvre, de sujets plus légers – tels la polygamie, l'élection de la prochaine rosière ou le dernier roman de Pierre Louÿs – tous chapitres favorisant également le sous-entendu.

Ce samedi soir – un samedi soir appelé à faire date dans les annales du « grand 13 » – la conversation s'orienta d'emblée vers les inondations, chacun tenant à prendre publiquement sa part de l'affliction nationale, redoutant en secret d'être inondé à son tour et s'inquiétant par avance d'y porter remède. De l'avis unanime, les mesures de protection manquaient d'efficacité et la troupe montrait une fâcheuse propension à l'indiscipline. A Biribi, foi de Ventre, on vous descend un vulgaire voleur de prunes de douze pruneaux dans le buffet. Par la suite, quelqu'un ayant inconsidérément lâché le mot « ballon », il ne fut plus question que d'aérostatique et des récentes expériences de M. Santos-Dumont, autre débat stérile. M. Wens senior, agaçant Referee, paraissait trouver le temps long. M. Bonnet, directeur des *Galeries-Parisiennes*, avait découvert, dans une pile d'imprimés, un catalogue ennemi et en tournait les pages d'un air chagrin. Roland Dunoyau, penché dans l'ombre sur l'Odile, lui tripotait distraitement les avant-bras tout en lui demandant Dieu sait quoi.

Une diversion s'imposait. Mme Adèle sut aussitôt quoi faire :

– Ma petite Olga... Si vous nous jouiez une nouveauté?

Impossible de s'y méprendre, c'était un ordre.

Olga, oubliant qu'elle portait trois fois rien, se retroussa les dentelles en s'attirant le tabouret comme à une distribution de prix. Déjà ses doigts durs couraient sur les touches tandis qu'elle pressait la pédale du museau rose de ses mules :

Il faut la voir, le long de la rivière,
Boitant par-devant, boitant par-derrière
La jambe gauche qui cloche un tout petit peu
Et semble crier : « Au feu! Au feu! Au feu! »

Chacun attendit poliment qu'elle eût fini, puis un ange passa.

– Trop réaliste pour mon goût! commenta M. Wens, n'en applaudissant pas moins le premier. Personnellement, je préfère une demoiselle sur une balançoire, comme dans *Véronique*... On se joue un whist, au centime le point?

Mme Adèle avait beau rêver de M. Wens une nuit sur deux, se soumettre en pensée au moindre de ses caprices, elle n'en tenait pas moins le whist pour un dangereux passe-temps d'importation. Un whist entre hommes fait obligatoirement deux mécontents et quatre glaçons.

– Un moment! intervint-elle d'un ton vif. Les

14

petites se proposaient de jouer aux tableaux vivants...

Personne n'en fut autrement surpris. Les tableaux vivants comptaient parmi les attractions du samedi soir. A vrai dire, ils en étaient le clou.

– Excellente idée! appuya M. Bonnet, envoyant promener le catalogue du *Bazar de Lozère*. J'opte pour *La Naissance de Vénus*, étant entendu que dauphins et tritons seront choisis dans l'assistance...

Il n'avait pas achevé que M. Giacobi, le juge de paix, exprimait impulsivement sa préférence pour *Phryné devant l'Aéropage*.

– *Aréopage!* rectifia M. Bonnet qui n'aimait pas les Corses. Vous commettez un lapsus, mon cher! Qui plus est, inspiré par Santos-Dumont.

Le juge de paix parut piqué au vif.

– Mieux vaut pécher par distraction contre la langue française que bafouer délibérément les règles de la politesse! repartit-il illico, se promettant d'interdire à sa femme comme à ses six filles et au petit Aldo de jamais remettre les pieds aux *Galeries-Parisiennes* et de saler leur propriétaire s'il venait à comparaître devant son tribunal. (On est Corse ou on ne l'est pas.).

Le Dr Gabrielle, un quinquagénaire au menton bleu, de type jupitérien, en tenait pour *Le Jardin des Hespérides* et M. Ventre, témoignant d'une érudition inattendue, pour Lady Godiva parcourant à cheval, vêtue de sa seule chevelure blonde, la ville de Coventry endormie.

M. Sénéchal approuva hypocritement. Restait à trouver le cheval. A défaut de la haquenée de la légende, peut-être M. Ventre pourrait-il leur procurer un complaisant percheron?

– Je pourrais vous procurer un âne si vous ne faisiez déjà l'affaire! repartit M. Ventre, virant à l'aubergine.

Un orage menaçait. M. Wens joua les paratonnerres :

– Si vous m'en croyez, la monture n'excitera qu'un faible intérêt, le moindre cheval à bascule suffisant à créer l'illusion... Peut-être ces demoiselles n'ont-elles pas de cheveux assez luxuriants pour en voiler leurs appas, mais, dans l'affirmative, nous nous sentirions assurément frustrés.

La pertinence d'une telle remarque frappa tout le monde tandis que Mme Adèle, ravie qu'il ne fût plus question de whist, sollicitait d'autres avis.

– *Suzanne au Bain*, suggéra le Dr Gabrielle, proposition unanimement rejetée quand il apparut que le sujet entraînait la collaboration bénévole de deux vieillards.

– *La Tentation de Saint Antoine!* lança M. Bonnet, provoquant un début d'hilarité.

M. Giacobi se prénommait Antoine, d'où l'astuce, mais la majorité estima peu prudent de l'échauffer davantage.

– *L'Enlèvement des Sabines*, proposa un anonyme, non suivi.

M. Ventre piaffait depuis un moment. Il eut une tardive inspiration.

– Et pourquoi pas quelque chose de plus corsé : *Au Pouvoir de l'Inquisition* ou *Flagellation au Couvent?*... Ça serait farce. Remarquez que les petites

16

n'en souffriraient pas mort et misère. Il leur suffirait de se cravacher le jupon.

Mme Adèle contint mal un haut-le-corps :

– Mille regrets, monsieur Ventre, mais vous prenez ma maison pour une autre! Ces enfants sont toutes disposées à illustrer des œuvres d'art, non des sujets licencieux!

– Vu, ghk! grommela M. Ventre, vexé, enlaçant Fifi par surprise et l'entraînant vers l'étage. Illustrez donc *L'Angélus* de Millet! cria-t-il venimeusement du palier. Ça, c'est du mouron!

Finalement « les petites » illustrèrent *Le Printemps* de Botticelli, *Toilette d'une Sultane* de Vanloo, et *Triomphe de Flore* de Callet, se gardant la chemise pour paraître moins nues.

Sur le tard, la vieille Maria, venue à bout de sa lessive, passa par le salon. On n'y percevait plus d'autre bruit que le chuintement du gaz léchant les bûches postiches de la cheminée en trompe-l'œil. Un londrès encore bagué achevait de se consumer dans un cendrier de Gallet. On se fût cogné aux meubles sans la clarté diffuse tombant de l'étage et le pinceau de lumière orangé provenant de la chambre contiguë, la chambre chinoise, dont la porte demeurait entrebâillée.

La vieille Maria s'en approcha sans bruit, sur ses charentaises.

– Bonne Mère! fit-elle pour elle toute seule.

C'était pareil tous les samedis soirs...

Démesurément grandis par leurs ombres complices, leurs mains largement étalées faisant pression sur un instable guéridon d'acajou, l'Odile et Roland

Dunoyau, veuf de fraîche date, interrogeaient impudemment la femme de celui-ci par-delà le sépul-
cre.

– Bonne mère! redit la vieille Maria, se signant.

Pour peu que Dieu laissât faire, tôt ou tard ils
obligeraient la morte à en lever la dalle.

II

COMMERCE D'ESPRITS

L'Odile avait perçu les pas furtifs de la vieille
Maria. Elle alla fermer la porte, mit le gaz en
veilleuse de telle manière que la sombre lumière
orange tombant de la suspension – une énorme
suspension à pendeloques de verre, déplacée dans
une pièce aussi exiguë – n'éclairât plus faiblement
que le centre du guéridon. Elle déplaça sa chaise
pour l'empêcher de geindre sous elle, et la trahir,
chaque fois qu'elle venait à bouger. Finalement elle
prit à tâtons les mains de son vis-à-vis entre ses
propres mains chaudes et moites.

Roland Dunoyau, qui ne l'avait pas quittée du
regard, contenait mal son impatience.

– Elle tarde! fit-il d'une voix voilée. Elle se manifeste plus tôt, d'ordinaire.

L'Odile s'attendait à un tel reproche.

– C'est que les morts ont tout leur temps, rien ne
les presse! plaida-t-elle, agrandissant son décolleté
d'un imperceptible mouvement d'épaules. Faites

comme moi, monsieur Roland. Fermez les yeux, appelez-la par la pensée, au-dedans de vous... Ah!

– C'est elle?

– Je peux pas dire, pas encore, mais quelqu'un est sûrement là...

– Qui? Demandez-lui... vite!

Le pied bancal du guéridon se mit à battre docilement le parquet.

– C-l-i-n-e, épela l'Odile, marquant une pause plus ou moins longue entre chaque lettre.

Roland Dunoyau sentit s'emballer son cœur comme à un premier rendez-vous :

– C'est elle, je l'appelais ainsi dans l'intimité! (Odile l'avait appris incidemment dès la première séance.) Retenez-la, posez-lui des questions...

– Je lui demande quoi, monsieur Roland?

– N'importe quoi, retenez-la!... Demandez-lui si elle est heureuse...

La voix d'Odile, empreinte d'un respect nouveau, changea curieusement de ton :

– Madame Clémentine?... M. Roland vous demande si vous êtes heureuse?

Le samedi précédent, feu Clémentine avait chuchoté, sauf erreur : « Bienheureuse ».

– Alors? relança Roland Dunoyau.

– Elle... Elle ne répond pas, avoua Odile, contrite.

– Demandez-lui si elle m'aime toujours.

Odile, par expérience, savait qu'on en viendrait fatalement là :

– Madame Clémentine? (Peut-être était-ce moins le respect que la crainte qui déformait sa voix.) M. Roland vous demande si vous l'aimez comme avant?

19

Une demi-heure passa. Le guéridon, après un faible tressaillement, avait repris son immobilité première.

– Alors? redit impatiemment Roland Dunoyau.

– Toujours rien, monsieur Roland! Comme les deux dernières fois...

– Mais elle est toujours là?

– Il me semble bien...

– En ce cas...

Roland Dunoyau franchit le Rubicon :

– Demandez-lui de quoi elle est morte.

Odile, d'instinct, fit marche arrière :

– De quoi elle est morte? Mais...

– La boîte de cachets somnifères dont elle usait journellement était à peine entamée quand je partis pour Lyon la veille de sa mort, vide, ou peu s'en faut, quand j'en revins! rappela Roland Dunoyau tout d'une traite. La police, comme chacun sait, a conclu à un décès accidentel. (Il reprit haleine.) Demandez-lui si elle a dépassé la dose prescrite par erreur ou si elle a délibérément attenté à ses jours.

– At-Attenté à ses jours?

– Recouru au suicide, traduisit Roland Dunoyau.

Le premier doute avait atteint Roland Dunoyau avant même que Clémentine fût en terre.

Cela tint à des riens : au pâté dénaturant la signature du Dr Gabrielle au bas du constat de décès; à l'air emprunté du capitaine de gendarmerie appelé à approuver ledit constat; à la façon réticente dont parents, proches et connaissances lui présentèrent leurs condoléances; à l'empressement injustifié dont témoigna sa belle-mère, Mme Duchastel, à emballer les affaires de Clémentine – robes, linge, colifichets – et à les soustraire à sa vue; aux chuchotements excités troublant, dans son dos, le silence de la mortuaire; à la profusion de gerbes et couronnes – dont d'aucunes anonymes – qui devaient accompagner Clémentine à sa dernière demeure...

Par la suite Roland Dunoyau sentit grandir ses soupçons. Cela tint à d'autres riens : à la confusion manifestée par certains fournisseurs – modiste, gantière, traiteur – en produisant des notes en souffrance; à une visite inopinée de son beau-père, M. Duchastel, lequel, sombre et gourmé, ne s'était apparemment déplacé que pour lui serrer virilement la main; à un vilain haussement d'épaules de Mlle Lemercier, croisée sur le chemin du cimetière; à tous les apartés que sa seule apparition, tant à l'étude de maître Brun qu'en d'autres lieux, suffisait à suspendre...

En vain Roland Dunoyau, d'un naturel jaloux, fit-il héroïquement front. En vain s'enferma-t-il dans un farouche isolement, raidit-il sa démarche, ignora-t-il avances et dérobades. En vain contrôla-t-il la moindre de ses pensées, se reprochant d'être un veuf indigne. Le ver était dans le fruit.

Alors qu'il n'avait jamais accordé qu'une distraite attention à son aspect physique et sa mise, trop occupé qu'il était à gagner plus d'argent que sa femme n'en pût dépenser, il se prit à se regarder dans les glaces et l'image qu'elles lui renvoyèrent – celle d'un quinquagénaire se coiffant à l'éponge pour dissimuler un début de calvitie, se serrant le gilet pour réduire une menace d'embonpoint et clignant des yeux pour se passer de verres – ne lui plut qu'à moitié. A l'arrière-plan de ces tardives confrontations, le dernier portrait de Clémentine conservait la fraîcheur d'un bouquet d'avril.

« Faites excuse, monsieur Dunoyau... Mme Berthe, lingère... Trois semaines avant le fatal événement, Mme Dunoyau m'avait commandé un saut de lit trop riche et trop... parisien pour que j'arrive à le vendre à quelqu'un d'ici... Je suis, dès lors, bien forcée de... Grandement merci, monsieur Dunoyau! »

« Laurenti marchand de vins, pour vous servir... La Félicité vous aura peut-être dit que j'étais passé l'autre samedi?... Je m'en veux, remarquez, de vous déranger pour une bêtise : deux douzaines de Pouilly, livrées à la mi-août, mais je me dresse l'inventaire... Dès lors... Serviteur, monsieur Dunoyau, et au plaisir! »

Comment s'interdire plus longtemps de penser?

Comment lutter, solitaire, contre toute une ville?

Roland, dans le silence polaire d'une maison désormais trop vaste pour lui, entreprit d'interroger ses souvenirs. Jusque-là il aurait juré avoir fait la conquête de Clémentine le jour qu'elle était tombée d'escarpolette en pleurant d'humiliation. En vain tentait-elle de dissimuler le désordre de sa toilette de ses dix doigts en éventail. La tendre batiste de ses dessous bouillonnait par les déchirures de sa robe de satin soufre. Des rubans défaits serpentaient dans l'herbe. Roland, pris de court, se demandait quoi faire. Elle le conjura de regarder un train qui passait sur le pont tandis qu'elle se rajustait. Conscient de sa détresse, il s'était détourné à regret, lui tendant à l'aveuglette deux épingles de nourrice. Par la suite Clémentine avait toujours soutenu que ces deux épingles de nourrice avaient suffi à trouver le chemin de son cœur...

Roland Dunoyau, après sept ans de félicité conjugale et trois semaines d'amer veuvage, reconsidéra la question, s'étonnant à retardement qu'une jeune personne à la veille de coiffer Sainte-Catherine s'adonnât aux joies de l'escarpolette dans un jardin dénudé par l'hiver, portât à cet effet une robe légère à volants printaniers et eût déboulé à propos sur le maigre gazon à l'approche d'un passant célibataire.

« Faut vous dire que feu madame votre épouse m'avait retenu le fiacre pour toute la journée, qu'elle s'est pas montrée et que j'ai manqué trois courses... Un jour de septembre chauffant, tenez, que vous étiez parti dès le matin... Votre obligé, monsieur Dunoyau, et dites-vous bien que chacun vous garde l'estime dans le pays! »

Fermez vos oreilles au ressac quand la mer vous entoure de toutes parts, vous ne l'entendrez pas moins.

Pénétré, dès le jour de ses noces, du vague sentiment qu'il jouissait d'un bonheur immérité, tombé du ciel comme Clémentine elle-même, et résigné par avance à le payer tôt ou tard, Roland devait fatalement en venir à se demander qui, de Clémentine ou de lui, avait finalement conquis l'autre, puis se poser d'autres questions.

Elle seule en détenait les réponses, comme elle

était seule à détenir la clef du mystère entourant sa mort sans témoin.

Roland brûlait de savoir, se fût damné pour une certitude.

Un mois chassa l'autre, mais sa peine demeurait entière. Le hasard voulut qu'il entendît vanter par un saute-ruisseau précoce les dons médiumniques d'Odile. Le hasard voulut qu'un orage d'équinoxe le contraignît à chercher refuge au « grand 13 » dont la porte demeurait entrouverte par tous les temps et devenu le but inavoué de ses promenades solitaires. Comparée à son logis désert, la maison lui parut singulièrement hospitalière.

« L'habitude se prend comme le rhume », affirme-t-on dans le pays. Roland devait y retourner en fin de semaine, bourrelé de remords, mais brûlant d'impatience, puis les samedis suivants, aussi naturellement que s'il prenait le chemin de l'étude ou du kiosque à musique.

Odile, en kimono passé, l'attendait au seuil de la chambre contiguë au salon. Ils n'échangeaient pas dix phrases. La parole était au guéridon.

A quelques jours près, cela ferait bientôt le mois que Roland interrogeait – vainement – Clémentine dans un lieu où elle n'aurait jamais mis les pieds de son vivant, mais où – grâce au concours d'Odile – il avait hebdomadairement rendez-vous avec son fantôme.

Jusqu'ici ses questions avaient peu varié. Faisant taire ses soupçons, il s'était surtout inquiété de savoir comment la morte s'accommodait de son nouvel état et si elle ne trouvait pas le temps long.

Aujourd'hui, coûte que coûte, il était résolu à en apprendre davantage.

Depuis la veille il en savait trop et pas assez.

L'Odile, elle, n'aurait jamais cru que Roland Dunoyau exprimerait un jour la singulière volonté d'interroger sa défunte femme sur les circonstances de sa propre mort. Il lui semblait maintenant côtoyer un abîme où le moindre faux pas suffirait à la précipiter. Tel est le lot des apprenti(e)s-sorcier (ère)s.

– Mme Clémentine ne répond pas, monsieur Roland! Peut-être ne veut-elle pas répondre?... Peut-être ne lui posez-vous pas la bonne question?...

Roland Dunoyau parut sortir d'un rêve. Un mauvais rêve.

– Soit, posez-lui celle-ci... Demandez-lui le nom de l'homme dont elle fait mention dans son journal.

– Son journal, monsieur Roland? Quel journal?

– Son journal intime, découvert hier au fond d'un vieux carton à chapeaux.

Roland Dunoyau avait porté la main à sa poche, en avait retiré un petit album doré sur tranche, à la couverture ivoire décorée de myosotis. Il hésitait encore. Finalement, le regard sombre, peu fier, il en ouvrit le fermoir d'argent, l'étala sur le guéridon:

– Lisez plutôt.

– Je ne sais si je dois..., temporisa l'Odile.

– Lisez, vous dis-je!

L'album devait être d'acquisition récente. Feu Clémentine n'y avait jeté que quelque vingt lignes d'une haute anglaise de couventine:

Le jour même de sa mort...

Dieu m'est témoin que je souhaitais ne jamais le revoir en ce monde. Dieu m'est témoin que j'ai instamment prié pour qu'il devînt vieux avant moi. Dieu m'est témoin que j'ai tout fait *pour oublier.*

Je n'ai rien oublié. Ni le jour de notre première rencontre dans une sombre ruelle d'Aix trop étroite pour deux, ni celui de notre séparation sous les pins de Collobrières bleuis par l'orage. Ni aucun des autres jours, tous différents, tous pareils, dont on nous volait les heures.

Je l'attends, il va venir.

J'ai donné congé à Félicité, revêtu la robe de velours prune, plombée de fourrure, que je portais lors de notre premier rendez-vous, la première de mes robes que je n'ai pas ôtée moi-même et où il manque toujours — cela va faire treize ans — les deux boutons du haut, arrachés par lui.

Tout est prêt : couche et poison.

Choisis, mon bien-aimé!

Ou je te reprends, ou je me voue à la damnation éternelle!

Enfin toi! En retard pour la première fois...

L'Odile, de plus en plus angoissée, souffla machinalement sur la mèche qui l'inclinait à loucher. Le jeu devenait par trop dangereux, Roland Dunoyau par trop pressant. Il importait moins dorénavant de le séduire comme elle se l'était promis dès leur premier contact en mesurant sa détresse que de gagner du temps :

– Monsieur Roland! Vous vous tournez inutilement les sangs! Un homme de votre âge, de votre condition... Mme Clémentine n'est plus des nôtres, vous ne la ressusciterez pas, et si elle a jamais eu un penchant pour quelqu'un d'autre... Vous devriez... Je...

Elle se tut, transie d'effroi, guettée par l'abîme. La mauvaise sueur trempait son linge de partout. Que n'avait-elle accepté les avances de M. Ventre, toujours empressé auprès d'elle? M. Ventre ne l'aurait jamais torturée de la sorte. Il se fût contenté de la faire galoper autour de la chambre.

– Demandez-lui le nom de cet homme.

Odile en éprouva un nouveau choc. Un client si convenable, n'ayant manifesté aucune exigence jusque-là... Elle chercha d'autres arguments.

– Mme Clémentine ne répondra pas, monsieur Roland. Une femme se refuse à dire ces choses-là de son vivant, plaida-t-elle, non sans logique. Dès lors elle n'irait pas les confesser après sa mort.

Bonne Mère, autant s'adresser à un sourd!

– Obligez-la à parler. Vous devez savoir comment faire.

Odile serra convulsivement entre ses genoux le pied boiteux du guéridon. La sensation d'une invisible présence lui serrait la gorge et précipitait les battements de son cœur fatigué :

– Je... Je peux pas aller si loin, monsieur Roland! Quelque chose pourrait arriver, quelque chose d'horrible! (Elle eut une tardive inspiration.) Le... Les morts, on ne les contraint pas!

Fatalité, elle s'adressait elle-même à un mort en sursis. Roland Dunoyau ne la voyait plus, ne l'entendait plus. Tout à son chagrin, il était devenu étranger à un monde où ne survivait que son ombre.

— Demandez-lui le nom de cet homme, redit-il de sa voix sans timbre, inhumaine. Je doterai Alice.

En vain Odile chercha-t-elle du secours autour d'elle d'un bref regard égaré. Par sa propre imprudence, elle se trouvait seule aux prises avec la Vengeance et la Mort.

— Par pitié, monsieur Roland! Je ne sais plus quoi vous dire.

— Dois-je en déduire que vous m'en auriez conté jusqu'ici, vous vous seriez délibérément substituée à Clémentine?

— Non, monsieur Roland, non! Mais je...

— En ce cas de-man-dez-lui-le-nom-de-cet-hom-me!

Le plus affolant, le plus incroyable, était peut-être que l'Odile connaissait ce nom et désirait le taire. Elle n'avait nul besoin de l'au-delà pour le lui rappeler.

— A, B, commença-t-elle d'épeler à tout hasard, avec la voix d'une autre.

Elle ne songeait plus qu'à Alice, cette petite fille, née de père indigne, qui ne savait comment embrasser et qui, privée de mère, demeurerait seule au monde.

Le choc ébranla la maison de la cave aux combles, déchaînant à l'étage un staccato de talons hauts et un feu roulant d'exclamations confuses. Non pas que ces dames et leurs hôtes fussent enclins à s'alarmer de secousses journellement enregistrées, mais, comme l'exprima plus tard Mme Adèle, résumant le sentiment général : « Il y a secousse et secousse. »

M. Wens senior et le capitaine de gendarmerie Belarmand, autre fidèle du samedi soir, entrèrent brutalement en contact dans le salon mal éclairé.

– Vous avez entendu? s'inquiéta le premier.

– De la rue, dit le capitaine.

– Le bruit venait de là...

– Il me semble bien. Vous quittez les lieux! Comme vous voyez. Et vous-même?

– Je ne fais qu'arriver.

Ils coururent à la chambre chinoise, mais s'arrêtèrent dès le seuil, médusés.

La lourde armoire à incrustations de nacre avait tout écrasé dans sa chute, hormis Roland Dunoyau plaqué au mur d'en face comme par un souffle de mistral.

Les regards des trois hommes convergèrent vers un maigre bras nu, anormalement plié et qui remuait encore faiblement au ras du tapis.

– Ce... C'est l'Odile! bredouilla Roland Dunoyau, blême. Nous interrogions l'esprit de ma chère Clémentine quand le... l'armoire a subitement piqué du nez. Allez crier sous le coup de l'émotion! Je n'ai eu que le temps de sauter en arrière, mais la pauvre petite, qui tournait le dos au meuble, demeurait sans méfiance... Sainte Mère de Dieu!...

Prenant la situation en main, le capitaine Belarmand avait déjà tombé la veste. Non sans regret, il renonçait au prestige de l'uniforme quand il fréquentait « le grand 13 » pour sa seule satisfaction.

– Un coup de main, messieurs, je vous prie! Vous conjuguerez vos efforts à mon commandement... et que quelqu'un avise le Dr Gabrielle s'il est dans la maison! ajouta-t-il par-dessus l'épaule à l'intention du groupe excité qui se pressait à la porte du salon. Faites vite, chaque seconde compte! rappela-t-il à toutes fins utiles. Messieurs, vous êtes prêts? Un, deux...

Quand les trois hommes eurent réussi à déplacer le meuble, chacun dut convenir à part soi que l'Odile, en dépit de ses « dons », n'avait su prévoir son propre destin.

— Double fracture du crâne et éclatement du bassin, sans préjudice de complications, tel fut le diagnostic du Dr Gabrielle qui n'avait apparemment pris que le temps de se reboutonner à la six-quatre-deux. La pauvre est sur le point de passer.

M. Wens supportait mal le spectacle de la souffrance et de la mort :

— Ne peut-on rien faire pour elle?

— Si, l'étendre sur un canapé, dit le Dr Gabrielle. Et lui ramener le curé.

— J'y vais! décida Fifi.

Elle courait déjà vers la porte, telle quelle, quand quelqu'un lui rappela qu'elle ferait bien de se mettre quelque chose.

L'Odile, son mince visage de chat reposant dans le giron de Mme Adèle, rendit l'âme à zéro heure sans avoir repris connaissance.

III

LA PORTE CONDAMNÉE

Encore que le capitaine Delarmand ne fut pas
« d'ici », mais natif d'un département limitrophe, ce
dont les esprits les plus libéraux lui tenaient secrètement rigueur, l'idée de refouler les curieux ne
l'avait pas effleuré pour autant : la mort violente
compte parmi ces distractions de choix – gratuites
qui plus est – dont on ne saurait frustrer le Méri-
dional sans l'indisposer.

C'est Mme Adèle, moins tolérante, qui, peu après
minuit, prit sur elle de renvoyer « les petites » à
leurs effusions malencontreusement écourtées, les
incitant à faire vite. Ainsi, compte tenu de l'Odile
assistant à l'entretien à titre purement figuratif,
demeurait-elle dans la chambre chinoise en la seule
compagnie du juge de paix, du capitaine de gendarmerie et de M. Vorobeïtchik, invité à se joindre aux
précédents en raison de son expérience, sa finesse
de jugement et son Nichan Iftikhar.

Les autres s'observant en chiens de faïence,
Mme Adèle n'y put tenir plus longtemps.

– Une armoire d'un tel poids ne tombe pas toute
seule! dit-elle, certaine d'exprimer l'opinion générale. A plus forte raison quand elle est fixée au mur
par un crampon.

– Un crampon? releva le capitaine Belarmand
d'un ton incrédule.

– Voyez plutôt, dit Mme Adèle, poussant un objet

rouillé du pied et en profitant pour retrousser discrètement sa jupe sous le regard en veilleuse de M. Wens.

Devant l'étonnement collectif de ses auditeurs, elle se traita mentalement de bécasse, puis se rasséréna. N'aurait-elle pas elle-même attaché le grelot que quelque bonne âme s'en fût tôt ou tard chargée. Aussi bien était-il trop tard pour faire marche arrière.

Passant simultanément à l'action, le capitaine Belarmand considérait déjà le crampon à jour frisant, tandis que le juge de paix, monté sur un pouf, examinait et percutait le mur.

Tous deux estimaient avoir qualité pour tirer l'affaire au clair, chacun comptant bien, à part soi, que l'autre finirait par lui céder le pas.

– Hum! fit le premier après réflexion. Il est de fait, quand on y réfléchit, et sauf secousse sismique...

Il quêtait l'opinion du juge, mais le juge, sourcil bas, regardait sévèrement Mme Adèle :

– Vous rendez-vous compte que cela revient à avancer que l'Odile a été assassinée?

– Je... Je n'avais pas pensé si loin! bredouilla Mme Adèle qui s'en remordait la langue.

Le capitaine Belarmand, ennemi de toute complication, se porta impulsivement à son secours :

– M. Dunoyau proteste qu'il se trouvait seul à seule avec l'Odile dans cette pièce quand l'armoire est tombée et que nulle créature de Dieu, fût-ce un chat d'août, n'aurait réussi à se glisser à l'intérieur sans éveiller aussitôt leur attention... Impossible, soit dit en passant, d'ébranler pareil volume sans

32

l'aide d'un quelconque levier, il y faudrait la force de trois déménageurs! Moi-même, qui soulève la chaise par un pied du pouce et de l'index, n'irais pas m'y essayer!... Un problème sans solution, si vous voulez mon avis!

Il s'attendait à être contredit. Tout au contraire, le juge de paix abonda dans son sens :

— Un problème qu'on pourrait intituler *Le Problème du Local clos*, ou, mieux, *Le Mystère de la Chambre chinoise* et qui, sous la plume d'un ingénieux feuilletonniste, ferait florès dans nos gazettes! (Il prit un temps.) Mon instruction cartésienne m'interdit néanmoins de croire aux problèmes sans solutions. Celui-ci, tout comme un autre, doit avoir une issue...

— La porte! suggéra M. Wens.

— La porte, quelle porte, celle donnant sur le salon? se récria le capitaine. Elle était fermée, à tout le moins quand l'armoire vint à s'effondrer, soit après le coup d'œil indiscret jeté en passant par la vieille Maria avant de gagner son lit. Rappelez-vous... Vous et moi, ignorant tous deux qu'il importait d'en remonter la poignée, avons peiné pour l'ouvrir.

— Je ne parlais pas de cette porte-là.

— Je n'en vois pas d'autre! se gendarma le capitaine.

— Ni moi, renchérit le juge.

— Vraiment? Retournez-vous. A quoi, selon vous, s'adossait cette armoire?

— Au mur, dit le capitaine, formel.

— Le mur du fond, renchérit le juge.

M. Wens eut l'air navré :

– Je crains bien que vous ne soyez victimes d'un trompe-l'œil. Disons, si vous le voulez bien : à la tapisserie.

– Quelle différence cela fait-il?

– Une sensible différence... Me trompé-je, madame?

Ainsi mise en cause, Mme Adèle opina du chignon :

– Cette pièce servait jadis d'antichambre. Quand nous nous sommes... agrandis, j'ai condamné la porte donnant sur le vestibule et nous l'avons définitivement bloquée à l'aide de l'armoire. Mais je... J'en réponds! La porte est verrouillée de l'extérieur.

– Précisément, *de l'extérieur!* insista M. Wens.

Le capitaine Belarmand, sorti en flèche, se livrait déjà à un complément d'investigations tandis que le juge de paix, demeuré sur place, tournait et retournait fébrilement le bec-de-cane. Tous deux en convinrent, non sans répugnance : la porte semblait bien consignée, mais les verrous, fraîchement huilés, jouaient librement dans leurs gâches.

– Et la tapisserie a cédé tout le long du chambranle, souligna M. Wens. Voyez, certains flamants y ont laissé le bec... Le voilà, votre levier!

Le capitaine Belarmand étirait sa moustache tandis que le juge de paix se grattait le lobe de l'oreille.

– Mais pourquoi, pourquoi? gémit le capitaine, ulcéré. L'assassin – si assassin il y a – aurait dû se tenir aux aguets dans le vestibule pour pousser la porte à point nommé. Il aurait aussi fallu, comme l'état des verrous le donne à penser, que son coup fût préparé de longue date... Or, l'Odile – je sais tout d'elle, comme je sais tout des autres pensionnaires de cette maison, ainsi l'exigent les devoirs de ma charge – n'avait plus d'attache en ce monde, hormis une petite fille élevée à la campagne. Elle n'entretenait aucune liaison extérieure depuis bientôt quatre ans... Dès lors, je vous le demande, qui pouvait lui en vouloir au point de lui ôter la vie?

– Un anonyme, suggéra M. Wens.

Cela fâcha le juge de paix :

– Il va sans dire, mais on ne tue pas sans d'impérieuses raisons : cupidité, vengeance, jalousie. Les fous eux-mêmes obéissent à d'obscurs, mais pressants impératifs.

– Peut-être cette fille n'a-t-elle été tuée que par ricochet? proposa M. Wens.

– Par ricochet! s'indigna le capitaine. Jamais entendu parler de ça!

– Je m'explique, dit suavement M. Wens. La victime, d'après l'opinion générale, jouissait du rare privilège de converser avec les morts. Si l'on fait litière de tout mobile commun, peut-être l'assassin redoutait-il – à tort ou à raison – quelque révélation d'outre-tombe? Peut-être a-t-il craint que l'Odile en dît trop? Peut-être a-t-il impulsivement voulu la réduire au silence et ne savait-il comment la faire taire autrement? Peut-être, si l'on y réfléchit bien, désirait-il moins l'expédier dans l'autre monde que *rejeter un fantôme au néant*? Peut-être tenait-il moins à tuer une vivante qu'à s'opposer à *la résurrection d'une morte*?...

Le capitaine et le juge de paix s'entre-regardèrent, interdits.

– Ce que vous allez chercher! dit rêveusement Mme Adèle.

– Peut-être devrions-nous réentendre Roland Dunoyau? dit le juge de paix.

– J'allais vous le proposer, dit le capitaine.

A son air sombre et buté, M. Giacobi et le capitaine Belarmand – Mme Adèle et M. Wens s'étaient éclipsés par discrétion – comprirent tout de suite que Roland Dunoyau allait taire ses secrets.

De fait, il s'en tint à ses premières déclarations, à savoir qu'il se trouvait tête à tête avec l'Odile au moment du drame, que la porte était bien fermée, qu'il n'avait perçu ni bruit ni présence suspects, que l'armoire avait basculé sans raison apparente et que l'Odile lui tournait le dos, ce qui avait causé sa perte. Il persistait néanmoins à croire à un singulier accident, non à un assassinat, car l'Odile avait changé sa chaise de place au début de la soirée, ce que personne ne pouvait évidemment prévoir, et, en d'autres temps, le meuble, en tombant, n'eût pulvérisé que le guéridon. Cet argument laissa le juge de paix insensible : pour lui, le criminel avait saisi l'occasion au cheveu. En ce cas, objecta le capitaine, pourquoi prendre soin de graisser les verrous si le seul hasard avait placé l'Odile dans la trajectoire de l'armoire? Mais là encore le juge sut quoi répondre : probablement l'assassin aux aguets n'espérait-il qu'une telle occasion depuis plusieurs samedis et l'Odile était-elle condamnée depuis longtemps, sa vie ne dépendant plus que de l'endroit où elle viendrait à s'asseoir. Après quoi, il eut conscience de s'égarer et revint à Roland Dunoyau, s'étonnant de retrouver un homme de sa condition – et pleurant un être cher – dans un lieu où les exigences de la chair priment le culte du souvenir. Le détour était habile, on revenait à l'essentiel, mais Roland Dunoyau n'en fut pas démonté pour autant : il n'avait jamais caché pourquoi il fréquentait « le grand 13 » et il n'était pas exagéré de dire qu'il y était moins attiré par une ex-vivante que par une morte. Le juge de paix en convint volontiers, mais ne pouvait-on dès lors tenir pour acquis que Roland Dunoyau et l'Odile interrogeaient la défunte quand le drame était survenu? Quelles questions lui posaient-ils dans le moment, qu'essayaient-ils de lui faire dire? Là était le hic. Selon Roland Dunoyau, ils lui posaient les mêmes questions que par le passé, questions demeurées sans réponse une fois sur deux. Mais encore?... Ma foi, ils l'interrogeaient sur sa condition présente, Roland lui demandait conseil, exhumait des souvenirs – des deux, c'était lui qui parlait le plus –, la conjurait, en un mot, de lui faire signe. Admettons, l'idée ne lui était-elle jamais venue de lui poser d'autres questions, plus précises? « Plus précises? – Oui, et plus... gênantes! » L'idée n'était-elle jamais venue à Roland Dunoyau d'interroger feu Clémentine sur les circonstances de sa mort et sur... sur certaines choses qu'elle aurait pu lui dissimuler de son vivant?... « Jamais, monsieur le juge, au grand jamais! L'Odile s'y fût d'ailleurs refusée. – Je vous remercie, monsieur Dunoyau. Nous en resterons là pour aujourd'hui. »

Le clerc de notaire n'était pas plus tôt sorti que

Mme Adèle rentrait, M. Wens dans son sillage : la discrétion a ses limites.

Qu'avait dit Roland Dunoyau? S'était-il déboutonné et jusqu'où?...

Le juge de paix et le capitaine de gendarmerie durent convenir de leur échec. A la vérité, ils se demandaient maintenant quoi faire. Ils ne pouvaient tout de même pas, grâce à l'intervention de quelques autres médiums, s'essayer, à leur tour, à questionner feu Clémentine.

– Non, dit Mme Adèle, mais vous pourriez interroger ses autres veufs.

La réflexion ne surprit personne : il était notoire que Clémentine, jupon léger, avait fait le bonheur de plus d'un. Et il se trouvait que ses admirateurs les plus empressés étaient tous clients du « grand 13 ».

Elucider la question : « Comment? » pouvait revenir à découvrir « Qui? ».

Le juge de paix et le capitaine de gendarmerie trouvèrent leurs « suspects » réunis au salon où ils devisaient sans chaleur, n'ayant apparemment d'autre hâte que de rentrer chez eux.

Ils commencèrent par les interroger collectivement, espérant qu'ils vinssent à se contredire. En pure perte. Ils les cuisinèrent ensuite d'homme à homme. Sans succès. Tous, comme s'ils s'étaient donné le mot, se plurent à louer l'irréprochable vertu de feu Clémentine, protestant qu'ils n'avaient entretenu avec la morte que de lointaines relations mondaines. Un tel gardait d'ailleurs la chambre et y soignait une méchante grippe quand la pauvre s'était détruite, tel autre avait appris la triste nouvelle en revenant de Cahors (par le train de 11 h 20), le Dr Gabrielle se préparait à accoucher, M. Ventre brûlait la poste...

Le juge de paix et le capitaine de gendarmerie s'attendaient à de telles dérobades : M. Bonnet et le Dr Gabrielle, dûment mariés, se trouvaient par là même conjugalement contraints de mentir jusqu'au pied de l'échafaud. M. Sénéchal et M. Ventre demeuraient seuls maîtres chez eux, mais n'en entretenaient pas moins de furtives liaisons avec des veuves fortunées qu'ils comptaient bien mener un jour à l'autel : le moindre aveu inconsidéré, venant à transpirer, aurait ruiné leurs espérances.

Bredouilles du côté jardin, M. Giacobi et le capitaine Belarmand se tournèrent du côté cour et s'en prirent à ces dames – Olga, Sabine, Mireille, Fifi et Amadou –, les menaçant à regret, si elles venaient à leur refuser leur concours, de peines de prison, dénonciation au Service de Santé, expulsions du département, mise à l'index et autres gentillesses.

Ces dames, découvrant avec une tardive horreur qu'elles avaient couché avec la justice, versèrent un pleur, sauf l'Amadou qui riait de tout. Elles n'aspiraient qu'à manifester leur civisme. Par malheur, elles ne répondaient pas de ces messieurs. Alors que, pudiquement dissimulées à leurs yeux par des obstacles ad hoc, elles se livraient à d'élémentaires soins d'hygiène, tant *avant* qu'*après*, elles ne pouvaient savoir s'ils attendaient sagement de l'autre côté qu'elles en eussent terminé ou s'ils vaguaient dans la maison. Sans doute quelques-unes leur avaient-elles adressé la parole en ces instants critiques, mais sans en attendre de réponse, le flux de l'eau dans les tuyauteries s'opposant à toute conversation suivie. Il convenait aussi de noter que deux de ces messieurs – M. Vorobeïtchik et M. Sénéchal – n'avaient pas « consommé », le premier manquant apparemment d'appétit et le second s'étant laissé souffler ces dames. Que faisaient-ils au moment du crime?... Eh oui, du crime, à quoi bon, désormais, mâcher les mots?... Le premier, après avoir conversé un moment avec Mme Adèle dans la chambre de celle-ci, se disposait à quitter les lieux. Le second vidait solitairement un verre de mousseux dans un débarras du premier étage – « l'antichambre prénuptiale », encore une trouvaille de feu M. Albert – où ces messieurs avaient tout loisir de se mettre à l'aise, ranger leurs affaires et prendre leurs précautions.

Bref, chou blanc sur toute la ligne, comme le confessèrent finalement à Mme Adèle le juge de paix et le capitaine de gendarmerie, poursuivis par le rire d'Amadou.

Mme Adèle, bonne fille, les reconduisit elle-même jusqu'à la porte. Aussi bien avait-elle besoin de son lit.

– Revenez demain, leur conseilla-t-elle. Le soir, de préférence. Cela attirera moins l'attention. Et comptez sur moi...

Elle désigna d'un regard « les petites » serrées l'une contre l'autre comme des brebis tondues du jour :

– Je vous les aurai confessées.

Le capitaine de gendarmerie Belarmand et M, Wens senior, le juge de paix ayant pris les devants, furent les derniers à quitter « le grand 13 », le capitaine faisant martialement sonner ses talons sur les trottoirs mouillés tandis que M. Wens laissait traîner après lui de paresseux ronds de fumée.

Chacun avait à penser, aussi échangèrent-ils peu de mots. Mais quelque chose tracassait visiblement le capitaine.

– J'ai peu goûté l'attitude du juge de paix, dit-il subitement, s'arrêtant, comme par l'effet du hasard, sous un réverbère dont la lumière clignotante mettait en valeur son athlétique silhouette. Je me flatte d'avoir seul assuré la police dans cette ville jusqu'à aujourd'hui – c'est moi, souvenez-vous en, qui ai convaincu la veuve Clignant d'infanticide – et Giacobi lui-même, qu'il le veuille ou non, en raison de sa présence sur les lieux du crime, compte parmi les suspects... Pour ne vous rien cacher, j'aimerais – avec votre aide – le battre de vitesse.

– Vous le devriez, étant gendarme à cheval! dit M. Wens. (Ils avaient atteint la rue de la République, et la pluie, jusque-là miraculeusement suspendue sur leurs têtes, se mit à tomber à pleins seaux.) Vous m'excuserez si je vous quitte ici au lieu de pousser jusqu'à la place Saint-Roch, mais je crains que ma femme vienne à s'inquiéter. Elle manifeste toujours quelque nervosité quand elle me sait au « grand 13 ».

Le capitaine Belarmand en avala de travers :

– Parce qu'elle sait que?...

– Cela va de soi, dit M. Wens. Nous ne nous

cachons rien. Pour tout vous dire, j'écris – à mes moments perdus – une *Physiologie de l'Amour* qui paraîtrait insipide si je n'en consacrais un chapitre à l'amour vénal.

IV

RETOURS A L'AUBE

M. Bonnet rentra chez lui, monta alertement les escaliers et poussa la porte de sa chambre à coucher sans prendre d'autre précaution. Outre que Mme Bonnet dormait comme une marmotte, il ne manquait jamais, chaque fois qu'il se rendait au « grand 13 », de jeter une poudre somnifère dans l'eau de fleur d'oranger dont elle buvait un verre tous les soirs. Ainsi était-il dispensé de trouver de laborieux prétextes à ses sorties nocturnes.

Par malheur, ce soir-là, comme il donnait de la lumière, une question impérative lui parvint de la pièce voisine :

– Alain, c'est vous?

Alain Bonnet en éprouva un choc :

– Julie!... Vous ne dormez pas?

Le temps lui manquait pour se mettre en vêtements de nuit. C'est tout juste s'il trouva celui d'ôter son veston et de défaire sa cravate avant de passer à côté. Là, un coup d'œil à la table de nuit suffit à l'éclairer : fait exceptionnel, le verre d'eau de fleur d'oranger n'avait pas tenté Julie.

– Le vent et l'averse m'ont réveillée en faisant battre les volets, expliqua-t-elle d'une voix dolente. Je vous ai vainement appelé. D'où venez-vous? Vous étiez sorti?

S'il faut en croire Mlle Lemercier et autres contempteurs locaux, Alain Bonnet, toujours des plus séduisants à l'approche de la cinquantaine, n'avait épousé Julie Bonavoir – et non Belavoir, soulignait Mlle Lemercier – qu'en raison de sa fortune et pour oublier un amour malheureux.

– Je ne pouvais trouver le sommeil, plaida-t-il, pris de court. Je... je suis allé jouer une partie de jacquet au *Café du Commerce* avec... avec Destandau, l'entrepreneur des travaux publics.

– Le *Café du Commerce* ferme ses portes vers les minuit. D'où vient que vous rentriez au petit matin?

Mieux valait faire la part du feu:

– Eh bien, pour tout vous dire... Une jeune femme est morte accidentellement, cette nuit, au numéro treize de la rue des Cultes et la nouvelle a fait aussitôt le tour de la ville. Destandau, Piquemal, moi-même et quelques autres nous sommes attardés – plus que de raison peut-être – à commenter les faits.

Mme Bonnet, en entendant parler du « grand 13 », avait changé de couleur:

– En quoi peut vous toucher l'obscur décès d'une fille de mauvaise vie?

– Euh... En rien, ma chère amie! Simple curiosité collective de notre part. Les langues vont leur train et... et...

– Vous avez voulu faire l'intéressant?

Alain Bonnet exhiba ses dents de loup dans un étincelant sourire :

– Mon dieu, ma chère... *Ici*, c'est vous qui parlez, moi qui écoute...

Il pensait, ruminant sa colère :

« *Quelle bêtise de l'avoir tuée! C'est maintenant que les ennuis vont commencer!* »

M. Ventre alla flatter ses chevaux, leur regarder les dents et leur claquer la croupe.

Puis, comme chaque soir avant d'éteindre la lumière, il se saisit d'une des brochures empilées sur sa table de nuit.

Celle-ci, ornée de photographies académiques, d'après nature, s'intitulait *Féminette à la Mer* (1), montrait sous les angles les plus révélateurs une moderne naïade en maillot de bain à rayures et relatait ses tribulations avec un rapin empressé à la peindre sans voile.

M. Ventre lut, alléché :

Vêtue de flanelle blanche, le chef coiffé d'un feutre qui valait bien dix-huit sous, Fanny Laperle, une « effeuillée » dans les prix doux, se balade sur la plage de Troupacher quand elle aperçoit Collodion-le-Chevelu, le photographe du Tout-Paris artiste et noceur.

– Hé, Collodion, par ici, vieux frère!

L'histoire, quoique marine, manquait de sel.

M. Ventre, sautant des pages, s'attaqua à une autre, plus relevée :

_____

(1) Edité par Léon Dupuy, « ex-administrateur, gérant du *Ouistiti* et du *Charme* », 1901. Prix : un franc.

En la nudité froide de sa cellule, le jeune moine songeait...

A travers son imagination ardente, des visions cavalcadaient, et ce n'étaient pas des images pieuses. Il rêvait de jolies filles entrevues dans la chapelle du couvent à l'heure des offices, et il implorait le miracle de la venue soudaine en sa cellule monacale, de Psyché, de Vénus, d'Astarté ou, plus simplement, de réelles beautés modernes non moins célèbres.

Si grande était la force de son désir que le miracle se produisit. Sans bruit, une femme entra. Elle était nue et magnifique. Radieusement, ses seins marmoréens pointaient comme des fruits mûrs et invitaient les lèvres au baiser, les dents à la morsure.

Le moine, inspiré soudain, chanta ces litanies profanes :

— Coupes de volupté où l'on boit le bonheur, tendez-vous vers ma bouche... Mammelles charitables qui faites vivre la joie dans le cœur des hommes, soyez-moi tutélaires... Globes d'espérance, calmez ma détresse... Fraîcheurs hyperboréales, rafraîchissez mon corps brûlant de fièvre... Symboles de la fertilité humaine, je veux vous adorer... Déesse de la Beauté, laisse-moi communier avec la suprême hostie de toutes les Ivresses!

Alors, charitable, la fille d'amour releva le moine et dit simplement : « Je suis tienne (1). »

— Putaing! s'exclama M. Ventre. Cela finit régulièrement quand ça devrait commencer!

---

(1) L'auteur de ce livre, quoique ignorant l'identité de l'auteur de ces lignes, tient à réserver confraternellement ses droits pour tous pays, y compris l'U.R.S.S.

Mais il n'avait pas l'esprit à la lecture, il pensait :

« Ça n'était peut-être pas une mauvaise petite, mais, voyante ou non, elle ne l'a pas volé... »

Luttant contre la pluie et le vent, M. Sénéchal sut qu'il était arrivé à bon port en repérant les deux globes jumeaux incendiant la devanture de la pharmacie, l'un d'un rose anthrax, l'autre d'un bleu méthylène.

Comme toujours, en entrant, il fut saisi par les odeurs fortes paraissant émaner des bocaux de porcelaine blanche, décorés de lettres d'or : *Ong : Egypt, Ong : Citrin, Ong : Garou, Ong : La Mère.* M. Sénéchal détestait les odeurs, à commencer par les odeurs pharmaceutiques qui s'attachent à vous en dépit des soins de propreté les plus poussés.

Il éteignit le gaz – jamais pharmacie régionale n'aurait brillé aussi tard dans la nuit – et gagna sa chambre. Une photographie de femme mûre, dissimulant mal ses avantages sous du tulle illusion, lui souriait sur une commode. Il la retourna avec humeur, reconnaissant à part soi que le modèle et lui seraient heureusement appariés.

Il pensait :

« Rien n'est perdu tant qu'ils ignoreront l'origine du poison... »

Le Dr Gabrielle considéra avec attention Isabelle au lit. Elle dormait comme un enfant heureux, le nez dans l'oreiller. Quel démon l'avait tant de fois poussé – se demanda-t-il, peu fier – à tromper une femme jeune et jolie ? Réponses – et excuses –

affluèrent dans l'instant : l'homme est naturellement polygame, l'habitude mine le désir, pas de
nutrition rationnelle sans changements périodiques
de régime.

– Arnaud! bredouillait Isabelle dans son sommeil.
Ar-naud!

Touché, Arnaud Gabrielle se pencha et embrassa
sa femme au creux du cou, lui arrachant un gémis-
sement de chiot. Ce fut elle, en s'étirant, qui fit
bâiller sa chemise de nuit. Ce fut lui qui envoya
promener draps et couvertures...

Il pensait :

« *Je n'aurais jamais dû signer le permis d'inhumer,
ce fut une grave faute!* »

Roland Dunoyau se tournait et se retournait dans
son lit glacé, aux draps raides d'apprêt.

Il laissa sa lampe de chevet allumée, réglant la
mèche pour l'empêcher de filer. S'il s'efforçait
depuis des semaines de ressusciter feu Clémentine
au « grand 13 », il n'en éprouvait pas moins une
peur panique de se retrouver tête à tête avec son
fantôme dans le secret de la chambre à coucher.

Il but à petits coups un verre de verveine verte, la
verte étant réputée plus forte que la jaune. Comme
le sommeil le prenait enfin, il réentendit l'Odile
épeler les lettres de l'alphabet sous la pression du
guéridon, revit la lourde armoire aux incrustations
de nacre osciller au-dessus de leurs têtes, recouvrer
un précaire équilibre, puis tomber de toute sa
hauteur.

L'Odile, par bonheur, n'avait pas vu venir la fin.
Elle était morte par surprise.

Il pensait :

« *Dieu ait pitié de son âme... et de la mienne!* »

– Vous rentrez tard, mon ami! dit Mme Giacobi, arrangeant coquettement son bonnet de nuit à rubans parme. Vos filles et le petit Aldo vous ont espéré jusqu'à 11 heures.

– J'en suis désolé pour elles et pour lui, dit M. Giacobi, mais je n'aurais de cesse que cette mitoyenneté Garoscio-Molinari soit déterminée à la commune satisfaction des parties.

Avant la mitoyenneté Garioscio-Molinari, le juge avait eu à éplucher – toujours en fin de semaine et jusqu'à une heure tardive – le différend Douce-dame-Chapirot et le dol Richedieu-Marchepied, tous conflits soulevant d'épineux points de droit.

– Vous vous tuez, Tonio! soupira Mme Giacobi.

– Tss, je m'efforce simplement de rendre une bonne et saine justice.

Mme Giacobi en conçut un regain de passion. Comment eut-elle soupçonné d'inappétence conjugale cet homme toujours vert et qui lui avait donné six filles et le petit Aldo?

– Vous devez mourir de froid, insista-t-elle. Je vous ai chauffé votre place.

Le juge, en bannière, lui baisa galamment la main (et se fit happer par le cou).

Il pensait :

« *Elle sera bientôt enterrée. Reste à enterrer l'affaire...* »

Le capitaine Belarmand, comme le Dr Gabrielle, demeurait épris de sa femme, mais d'une tout autre manière.

Mme Belarmand, gravement malade, n'attendait plus de son mari que soins et tendresse. Elle demeurait assise ou couchée des jours entiers à tricoter et rêvasser, les pommettes roses de fièvre. Il n'est pas exagéré de dire que Belarmand – fâché d'avoir un garçon – l'aimait désormais comme la fille qu'elle n'avait su lui donner.

Sitôt rentré, il se pencha sur elle, reboutonna avec précaution sa liseuse de mérinos, bassina d'eau de Cologne ses tempes constamment mouillées. Il entrouvrit la fenêtre pour qu'elle respirât plus librement, ferma les rideaux pour qu'elle ne prît pas froid.

Il pensait :

« Il faut que ce soit moi qui mène l'enquête. Personne d'autre! »

Hélène, en déshabillé pagode, attendait M. Wens, un roman de Rachilde reposant dans son giron.

Comme son mari, apparemment préoccupé, passait à sa portée, elle lui tendit les bras dans un épanouissement de valenciennes :

– Chéri, embrassez-moi! Vous avez été long.

– Un instant, je vous prie, dit M. Wens. Laissez-moi le temps de me changer.

Un genou rond lui barra le passage :

– Vous changer?... Sornettes, chéri!... Vous répandez une odeur de péché. Je n'aime rien tant que ça!

M. Wens rendit les armes.

Il pensait :
« *Les femmes sont folles!* »

V

UNE JUSTE HAINE

Le dimanche suivant ressembla à tous les diman-
ches, la clientèle de ce jour-là étant presque exclu-
sivement composée de voyageurs de commerce en
tournée et de villageois attirés par le marché du
lendemain. D'aucuns s'enquirent bien de l'Odile,
mais il leur fut répondu que la petite, fatiguée, se
reposait « en province » pour quelques jours.
Ahmed ben Mohamed, le marchand de verroteries
et colifichets qui venait proposer ses babioles au
« grand 13 » une fois le mois et montait ensuite
avec l'Odile pour lui ristourner une (faible) part de
ses bénéfices, montra moins de crédulité et plus
d'insistance, mais, dans le fond, il s'inquiétait surtout de savoir « laquelle de ces demoiselles voudrait bien s'amuser avec lui ». L'intérim ne tentait
personne, Ahmed ben Mohamed se montrant trop
ouvertement concupiscent. Cependant, comme il
finit par se jeter à genoux au beau milieu du salon,
se frappant la tête contre le sol et pleurant à
chaudes larmes, Sabine se laissa toucher, précisant
pour mémoire que, ce qu'elle en faisait, « c'était
pour honorer l'Odile ».
Le lundi matin fut marqué par la visite de M. Sur-

venant, le juge d'instruction, venu du chef-lieu tout exprès et qui n'avait apparemment qu'une hâte : celle d'y retourner. Il posa peu de questions, n'écouta les réponses que d'une oreille et conclut, non sans désinvolture, que ses bons amis Giacobi et Belarmand, rogatoirement requis, seraient tout aussi qualifiés que lui pour débusquer un gibier après lequel il n'avait pas le temps de courir. A eux de l'attraper, il se faisait fort de l'accommoder. (Les « petites » devaient se montrer parfaites durant toute l'entrevue si l'on compte sans Mireille à qui l'excitation arracha un « Eh ben, mon vieux! » que M. Survenant ne prit heureusement pas pour lui.)

Mme Adèle, qui ne craignait rien tant que le scandale, adressa à Notre-Dame-de-la-Garde (elle était née sur le Vieux Port) une pensée reconnaissante : La Bonne Mère lui avait envoyé la bourrasque, mais ne lui refusait pas l'embellie.

C'était compter sans la presse...

UNE PENSIONNAIRE DE MAISON HOSPITALIÈRE ÉCRASÉE PAR UNE ARMOIRE
La Police concluerait au Crime

Ainsi s'exprimait *Le Bon Républicain* dans son édition spéciale (et unique) de 6 heures, l'article ne comptant heureusement qu'une vingtaine de lignes et se trouvant relégué dans la page régionale, en bas de colonne.

Mme Adèle, alors debout devant sa psyché-accordéon, jeta la feuille au loin comme si elle l'avait mordue.

Une pensionnaire de maison hospitalière... La police concluerait au crime... Des voiles que nous répugnons

51

à soulever... Nous n'exprimerons qu'un vœu, celui qu'il soit fait bonne et prompte justice...

Autant d'insidieux commentaires qui pouvaient ternir sa réputation, provoquer les foudres départementales, la contraindre un jour prochain, qui sait? à clore définitivement la porte par tous temps entrebâillée du « grand 13 »; bref, lui valoir des ennuis...

Non, à la réflexion, cela ne faisait jamais que trois gouttes d'eau dans quatre baquets! Elle avait des relations, Dieu merci, et saurait, au besoin, en jouer. A commencer par le maire et le secrétaire communal. Où trouveraient-ils à satisfaire, sinon chez elle, le premier son goût du travesti le second son penchant dénaturé pour les chaussures à tige?

Provisoirement rassérénée, Mme Adèle se demanda quelle robe passer. « Mets-toi la noire », conseillait feu Albert chaque fois que le doute la prenait. « Faut être condamné à mort pour ne pas tourner autour d'une veuve... » Il voyait juste, comme toujours. Il arrive néanmoins qu'une robe noire paraisse plus immodeste qu'austère. En l'occurrence, et tout bien pesé, peut-être convenait-il d'en faire moins que trop?

Triomphant d'une ultime hésitation, Mme Adèle se mit la robe violette à étole, façon évêque, la juste mesure, et se toucha les dessous de bras d'essence de cyprès par manière de rappel.

L'heure était venue – 9 heures – de passer la classique revue de détail.

Mme Adèle trouva « les petites » fin prêtes, se livrant aux plus rassurants passe-temps...

Mireille frisait ses luxuriants cheveux roux au petit fer; Amadou se brodait une de ces chemises d'un blanc neigeux qui, par contraste, achevaient de donner à sa gorge – et le reste – la patine du bronze; Sabine rêvait devant une carte postale en couleur reçue le matin même de Colomb-Béchar et expédiée par un sien cousin tirant cinq ans aux Bat' d'Af'; Olga, enfin, disait la bonne aventure à Fifi à l'aide d'un jeu de tarots dans lequel elle prétendait être seule à savoir lire :

– Un, deux, trois, quatre, cinq : huit de cœur... La lune au voisinage, d'honneurs est le présage. Si elle est éloignée, est triste destinée... Un, deux, trois, quatre, cinq : sept de carreau... Les oiseaux rapprochés : courtes difficultés. Oiseaux plus éloignés : bon voyage annoncé... Un, deux, trois, quatre, cinq : as de cœur... Ce monsieur sympathique est, comme je te l'explique, signe mauvais ou bon. D'après sa position...

Paisible tableau que Mme Adèle s'attarda un moment à contempler, mais qui ne l'abusa pas. Les enfants, elle en aurait juré, étaient nerveuses comme des chattes à la pleine lune. L'une venait de laisser tomber son fer, l'autre de casser son fil. Sabine soupirait trop bruyamment en considérant la carte postale où un zouave, rêveur, tête à tête avec un mirage, exprimait son spleen en ces alexandrins romantiques : *J'aime ta chair exquise et son parfum troublant, Et mon cœur, malgré moi, bat d'un rythme violent*. Olga comptait ses cartes d'un ton excédé et Fifi, balançant un pied impatient, ne lui prêtait qu'une incrédule attention...

Appendue en bonne place, une mauvaise photographie de l'Odile était assombrie par un nœud de crêpe.

– Que diriez-vous d'un petit verre de muscadet ou... d'autre chose? proposa Mme Adèle.

Une telle largesse était généralement accueillie avec chaleur. Cette fois les petites ne dirent ni oui ni non, trinquèrent poliment, mais le malaise n'en fut pas dissipé pour autant.

Mme Adèle comprit qu'elle se devait de prononcer un laïus, ce qu'elle fit. Sans doute ces demoiselles ressentaient-elles cruellement – et unanimement – la disparition de leur compagne, mais la pauvre – Mme Adèle s'en portait garante – serait décemment enterrée et l'Alice, sa fille, ne manquerait de rien, à tout le moins jusqu'à ce qu'elle devînt grandette. Encore Mme Adèle se chargerait-elle volontiers, à ce moment-là, de parfaire son éducation... Sans doute ces demoiselles n'avaient-elles pas le cœur à rire et à distraire ces messieurs, mais on ne pouvait fermer « le grand 13 » en signe de deuil, fût-ce pour vingt-quatre heures, sans provoquer la médisance. Mme Adèle comptait que chacune ferait son devoir, et plus que son devoir. Feu Albert, dit-elle en guise de péroraison, sûre que ses auditrices révéraient sa mémoire comme elle-même, aurait exigé d'elles le même esprit de sacrifice.

Ça n'était pas mal tourné, quoique un peu emphatique, mais Mme Adèle dut reconnaître in petto qu'elle avait manqué la cible. Les petites, elle s'en avisa tardivement, ne répugnaient ni à rire ni à distraire ces messieurs. Elles n'avaient pas tant de chagrin. *Elles avaient peur.*

– On ne taquine pas les morts, dit soudain Sabine, parlant comme malgré elle. C'est peu chrétien.

— Au temps passé, l'Odile, on vous l'aurait brûlée sur le Mail, renchérit Mireille.

— Li pouvait pas fé l'amou' sans histoi'e? s'enquit Amadou.

Tout bien considéré, le portrait de l'Odile n'avait été garni de crêpe que par respect des convenances.

— Cela suffit, mesdames! trancha Mme Adèle, sentant venir la mutinerie. (Elle ne disait : « Mesdames » qu'en des circonstances exceptionnelles.) L'Odile n'est plus, paix à son âme! Et descendez, je vous prie, que ces messieurs ne soient pas obligés de vous espérer comme samedi dernier. Cela fait mauvais effet.

Les petites obéirent docilement, mais le dernier mot n'en revint pas moins à Amadou.

— Zeunes filles dans mon pays pas aimer fé dodo avec missié assassin... Balali ban ban! acheva-t-elle par pure insolence.

Comme elle dégringolait déjà l'escalier, elle était malheureusement trop loin pour que Mme Adèle pût lui « tirer » une gifle.

Mme Adèle craignait que la soirée fût un fiasco. Tout au contraire, elle se demanda bientôt où loger son monde.

Ces messieurs arrivaient par paire, voire par brochette, et la discrète sonnerie dissimulée derrière le portemanteau ne cessait de tinter. Vers 10 heures, le salon était comble, certains habitués du samedi, rompant avec toutes les traditions, n'ayant pas hésité à se mélanger à ceux du lundi. Le mousseux coulait à flot, mais on montait peu. Personne n'eut l'idée de réclamer un air de musique, ou un pas de danse. A tout autre plaisir, ces messieurs paraissaient préférer celui de la conversation. Les petites, négligées, faisaient la moue. Si quelque client attirait l'une d'entre elles sur son genou ou lui pinçait la taille, c'était distraitement.

Mme Adèle, en revanche, n'avait jamais été plus sollicitée.

— Dites-moi, ma bonne amie, on chuchote en ville que l'une de vos protégées, l'Odile, aurait perdu la vie dans un étrange accident? J'imagine qu'il n'en est rien? (M. Menu, l'instituteur.)

— C'est vrai, ça, madame Adèle, qu'une de vos petites aurait été tuée par un sadique? Allez, allez, dites-moi tout! Ces choses-là, on n'arrive jamais à les cacher bien longtemps! (M. Flanchet, le boucher.)

— Asseyez-vous là, ma charmante, et confessez-vous... Vous donnez dans le mystère maintenant? On assassinerait au « grand 13 »? N'allez pas passer les détails, j'en suis friand! (M. Robinier, le percepteur des postes.)

Peut-être le scandale attire-t-il plus qu'il n'éloigne, comme en avait douté jusque-là Mme Adèle en toute innocence.

Les fidèles du samedi soir, eux, posaient moins de questions. En fait, ils n'en posaient aucune, préférant confronter déductions et hypothèses...

Il semblait avéré que l'Odile ne se connaissait nul ennemi au monde et n'avait pu être « tuée pour elle-même ». Où chercher, dès lors, le mobile du crime? Dans son triste passé? Il était sans histoire. Dans son comportement actuel, l'impudent étalage de ses « dons »? Laissez-moi m'en payer : chacun sait que les morts sont condamnés au silence éternel. Pas sûr : Allan Kardec et Flammarion, ces cerveaux, croient aux communications d'outre-tombe. Le certain, c'est que l'Odile avait la langue trop longue. Que contait-elle à Roland Dunoyau alors que l'armoire basculait dans son dos? Elle lui parlait, cela va de soi, de feu Clémentine. Justement, que cherchait-il à savoir? A l'en croire, il s'informait du temps qu'il fait au paradis. Fariboles, il devait se trouver sur le point d'apprendre quelque chose d'important, d'important pour lui et pour cet autre qui avait déséquilibré l'armoire en poussant du pied ou de l'épaule la porte condamnée. Le fait est, quand on y songe, que feu Clémentine était bizarrement morte : on ne vide pas une boîte de cachets somnifères par simple méprise à moins d'être ivre ou somnambule. D'accord, ou dérangée. Une supposition que l'Odile fût vraiment clairvoyante et capable de faire parler les morts, une supposition que feu Clémentine tînt à garder un secret par-delà la tombe et que l'Odile allait le lui arracher, qui nous dit que ce n'est pas feu Clémentine qui a finalement fait basculer l'armoire? En 88, cela me revient, un de mes neveux de Sisteron s'est loué par inadvertance une maison hantée : les meubles y changeaient de place à toute heure, s'élevant, quand ça se trouve, à deux mètres du sol et y demeurant suspendus, comme une petite fumée. Un soir sur deux, le neveu, un têtu, devait s'aller chercher l'escabeau pour se mettre au lit. Vous galéjez? Je m'en voudrais, il y a temps pour tout. Et qu'est devenu le neveu? Il en est mort, l'économe, sur la fin de son bail. Pour en revenir à nos moutons, imaginons que feu Clémentine se soit volontairement empoisonnée par la faute de quelqu'un, imaginons que son veuf en détienne la preuve, imaginons qu'il ait résolu de se venger... Se venger de qui? Feu Clémentine n'aimait personne, elle aimait tout le monde, et jamais pour longtemps. Vous la connaissiez donc bien? Pas plus que vous, mon bon, mais ça n'empêche pas de se former l'opinion. Dites-moi, et si c'était Dunoyau lui-même qui avait jeté l'armoire à bas sans témoin, l'Odile, grâce au guéridon, en ayant peut-être appris plus qu'il ne souhaitait? J'avais cru comprendre que vous réfutiez toute manifestation de l'au-delà... Ma foi, c'est selon : l'année dernière, tenez, le second mari de ma sœur passait en tapecul devant le cimetière de Saint-Sauveur quand, tout à coup...

Vers les minuit, la mort tragique de l'Odile semblait momentanément oubliée et les petites, pressées de toutes parts, avaient retrouvé le sourire.

– Où li passée ma culotte? s'affola soudain Amadou. Çui-là qui me la 'it'ouve, ze lui fé la bise!

– Amadou, un peu de tenue! dit sévèrement Mme Adèle, freinant la petite qui venait de se jeter sur elle comme un papillon fou. Qu'as-tu besoin de ta culotte maintenant? remontra-t-elle à voix basse. Tu montes avec Séné.

– Té, zustement! pleurnicha Amadou. Li veut touzou me l'ôter lui-même!

L'ombre de la mort semblait s'être éloignée du « grand 13 », mais ce n'était qu'un leurre...

Ce même soir, Roland Dunoyau, terré dans sa maison solitaire comme une vipère sous pierre, ressassait ses griefs.

Fait étrange, il n'avait pas autrement souffert d'apprendre jour après jour que feu Clémentine se fût donnée à d'autres hommes avant – et après – le mariage. Si l'on en croyait son journal intime – ce posthume cri d'agonie, ce message délivré par erreur –, ils avaient peu compté pour elle, son exigeante fidélité à un premier amour les ravalant au rôle d'infortunées doublures.

Ce qui le rendait fou, lui donnait comme un avant-goût de l'enfer, c'est que Clémentine se fût moquée de lui aussi, qu'il n'avait pas dû compter davantage à ses yeux que n'importe quel autre « remplaçant », qu'elle l'eût trompé *par la pensée*, dès leurs chastes fiançailles, plus outrageusement qu'entre cinq et sept.

Sa criminelle décision datait de l'avant-veille. L'homme à qui feu Clémentine, en dépit du oui sacramentel et de ses frasques, tant antérieures qu'ultérieures, était demeurée secrètement attachée par l'esprit et la chair, l'homme dont l'offensant dédain l'avait acculée au suicide, cet anonyme visiteur du soir la rejoindrait bientôt dans la tombe.

Ainsi Roland Dunoyau, toujours absurdement épris d'une ombre, lui arracherait-il, qui sait? un premier vrai merci et peut-être lui-même, son honneur désormais lavé de toute souillure par cette seule vengeance, réapprendrait-il un jour à vivre?

Roland Dunoyau ne priait plus depuis longtemps.

Ce soir-là il pria comme on prie enfant, implorant
un dieu tout de bonté et de miséricorde à l'aider à
assouvir une juste haine.

VI

EN TOUTE INNOCENCE

Cela faisait maintenant trois jours que l'assassin
se penchait avec incrédulité sur son propre cas.

Au vrai, bien que l'image de l'Odile morte hantât
ses courtes nuits, il se refusait encore à croire qu'il
fût devenu un « assassin »...

Qui dit « assassinat » dit aussi « mauvais des-
seins » et « préméditation ». Or, d'aussi loin qu'il se
souvînt, il n'avait souhaité à aucun moment la mort
de l'Odile, fût-ce en poussant du pied la porte
condamnée, l'irréflexion seule inspirant son geste.

« Voire! » pensa-t-il, fermement résolu à pousser
à fond son examen de conscience. Qui avait huilé,
depuis un bon moment, des verrous jusqu'alors
rouillés? Lui. Qui, par de légères pressions réitérées
sur le battant, avait fini par déchirer la tapisserie
intérieure et supprimer ainsi l'ultime obstacle
s'opposant au libre jeu des gonds? Lui, encore,
mais, Dieu en pouvait témoigner, il n'était mû, ce
faisant, que par une inquiète nervosité, le souci de
surprendre les révélations, vraies ou fausses, chu-

chotées chaque samedi par l'Odile à Roland Dunoyau.

Encore aujourd'hui et quoiqu'il n'eût cessé de s'interroger depuis le drame, le mobile déterminant de son acte continuait de lui échapper. Un fait était certain : il n'avait jamais cru que l'Odile, qui s'asseyait régulièrement face à la porte, se trouverait dans la fatale trajectoire de l'armoire. Pourquoi, dès lors, faire tomber le meuble? Par manière d'avertissement? En quelque sorte. Peut-être aussi, ses nerfs prenant le dessus, avait-il aveuglément recouru au premier – et seul – moyen à sa portée pour suspendre une conversation aux mortelles conséquences.

L'assassin hocha la tête. Ces raisons mineures demeuraient impuissantes à satisfaire son besoin d'analyse. Un mobile plus puissant, plus subtil aussi, devait être à l'origine de sa malheureuse et criminelle impulsion. Mais lequel?

La réponse fut longue à venir, malaisée à formuler, mais, quand il crut l'avoir saisie, elle ne manqua pas de lui apporter un bref soulagement.

Roland Dunoyau, aux yeux des moins avertis, touchait le fond du désespoir. Une chose est, en effet, d'apprendre que votre défunte femme, passionnément aimée, est de mœurs légères et s'offre de multiples caprices tout en vous gardant son affection; une tout autre de découvrir qu'elle n'attendait de vous, en vous prenant au piège de ses charmes, qu'une vie aisée et pignon sur rue, ses plus intimes abandons demeurant sujets à l'intensité de certains souvenirs...

L'assassin en tomba d'accord avec lui-même. Honnêtement, ce qu'il avait voulu éviter, c'est que

Roland Dunoyau, veuf éploré, n'apprît toute l'étendue de son infortune et n'y pût survivre.

Partant, il n'était pas exagéré de prétendre qu'il avait tué *par fraternité humaine.*

Cette conclusion paradoxale lui inspira un rire amer. Il s'était subitement vu aux Assises, dans le box des accusés, exposant son point de vue à un tribunal hermétique.

Son devoir, dans l'instant, lui parut tout tracé : lutter pied à pied pour garder sa liberté, égarer une justice réputée aveugle...

C'en était fait à tout jamais de sa propre tranquillité d'âme, mais le quiet bonheur des siens dépendait désormais de son habileté à mentir.

En dépit de sa résolution, il fut long à trouver le sommeil.

Sans doute s'était-il jeté à corps perdu contre la porte condamnée, mais il n'avait pas eu l'impression que cela suffît à l'ébranler.

Pour faire tomber l'armoire, *il aurait fallu être deux...*

VII

INTERMÈDE SCOLAIRE

— Elève Vorobeïtchik, que dissimulez-vous dans votre pupitre ?

— Rien, monsieur. Parole.

— Apportez-moi cet objet immédiatement.

– Bien, monsieur.

– Tiens, tiens, *Le Bon Républicain!*... Vos parents vous autoriseraient-ils, par hasard, à lire le journal?

– Non, monsieur, ou j'aurais pas à m'en cacher. De toute façon, papa voudrait pas que je lise celui-là.

– Pourquoi? Il ne partage pas ses opinions?

– Non, monsieur. Papa serait plutôt tsariste.

– J'en déduis donc que vous avez doublement manqué à vos devoirs, *primo* : en dérobant un journal défendu; *secundo* : en le lisant, en cachette, à l'école?

– Je l'ai pas dérobé, monsieur. Je l'ai emprunté.

– Vraiment? A qui?

– Un copain.

– Lequel?

– ...

– Parlez, cela vous sera compté.

– ...

– Très bien, regagnez votre banc. Vous m'écrirez deux cents fois pour demain : « Je préfère la lecture des faits divers à l'histoire des Gaules ». Et vous ferez signer ce pensum par monsieur votre père.

– Je pourrais pas le faire signer par maman? Maman serait tentée de trouver la chose plutôt plaisante...

– J'ai dit : votre père. J'ajoute que je ne tolérerai aucune échappatoire.

– C'est dur, monsieur. Papa va me chanter : *Les Yeux Noirs.*

– Ce qui revient à dire en langage clair?

– Rien d'important, monsieur. Vous me le rendez, le journal? J'ai pas fini de le lire.

VIII

ENQUÊTE À TROIS

La semaine tirait à sa fin quand Roland Dunoyau, ses investigations personnelles s'étant soldées par un échec, se décida, sous la commune pression du juge de paix et du capitaine de gendarmerie, à confesser ce dont tout le monde se doutait, à savoir que, lorsque l'armoire avait basculé, l'Odile et lui interrogeaient feu Clémentine sur les mystérieuses circonstances de sa mort.

Le juge de paix et le capitaine de gendarmerie échangèrent un regard d'intelligence : ils tenaient le premier fil, restait à défaire le tricot.

– Ah, ah! s'exclama le juge. Et que lui demandiez-vous plus particulièrement?

– Allez, dites-nous tout! renchérit le capitaine. On est entre amis.

Roland Dunoyau balança un moment entre la crainte – tout illusoire d'ailleurs – de ternir la mémoire de feu Clémentine et son désir de voir rebondir une enquête qu'il était impuissant à mener seul.

Il atermoya :

– Je... J'ai fortuitement appris que ma femme avait reçu une visite – la visite d'un homme – à l'heure même de sa mort. Ce... C'est le nom de cet homme que je demandais à feu Clémentine et que l'Odile commençait tout juste d'épeler quand l'armoire est tombée.

Le juge de paix avait froncé le sourcil.

– « Fortuitement appris » me paraît un peu évasif. D'où teniez-vous une telle information? Quelque langue se serait-elle dernièrement déliée?

– Non, je... J'ai par hasard découvert – la veille du drame, pour être précis – une sorte de journal intime, quasi neuf, où ma femme consignait cette visite de dernière heure.

– Sans se montrer autrement explicite?

– N... on. (Roland Dunoyau s'épongea le front.) Je n'en ai pas moins déduit – à mon corps défendant – que l'homme attendu par elle ce soir-là avait joué dans sa vie un rôle important.

– Comment l'entendez-vous? Devons-nous comprendre qu'il s'agissait d'une intrigue amoureuse?

– J'ai peur que oui.

– Récente?

– Non, tout au contraire. Il semblerait que ma femme fût, à mon insu, demeurée fidèle – par la pensée – à un premier amour et que... qu'elle cherchait à renouer avec lui.

– Peut-être feriez-vous mieux de nous exhiber le journal afin que nous en tirions nos propres conclusions?

– Im-Impossible! bredouilla Roland Dunoyau, le feu aux joues. Je... Je l'ai détruit!

– Ou, plus probablement, ne voulez-vous pas que d'autres que vous viennent à le lire?

– Vous pouvez m'en croire, je vous ai très exactement résumé ce qu'il contenait.

Le juge de paix se mit à aller et venir, ses mains nouées dans le dos agitant les basques de sa jaquette de soubresauts convulsifs. Fallait-il insister, perquisitionner au besoin chez le clerc de notaire? Outre qu'il répugnait aux mesures extrêmes, il serait toujours temps d'en venir là sur le tard.

Le capitaine Belarmand profita de cette hésitation pour jouer sa partie d'orchestre :

– Si feu Mme Dunoyau a effectivement reçu la visite d'un homme le soir de sa mort et si cet homme n'a pas jugé bon de se faire connaître, c'est assurément qu'il a quelque chose à cacher...

Le juge se devait de le contredire :

– Pas nécessairement. Supposons-le marié comme la plupart d'entre nous. Peut-être sa réserve ne lui est-elle inspirée que par le souci de préserver la paix de son ménage?

Le capitaine fit front :

– J'ai rarement vu quelqu'un commettre un assassinat par crainte d'attrister sa femme. Il me paraît évident que ce visiteur inconnu et l'assassin de l'Odile sont un seul et même homme.

– Tss, n'allons pas conclure précipitamment! trancha le juge, fâché d'être battu de vitesse. Avez-vous songé à questionner vos gens de maison? demanda-t-il à Roland Dunoyau.

– Nous n'avions, à l'époque, qu'une vieille servante, la Félicité, expliqua le clerc de notaire. Ma femme lui avait donné congé jusqu'au lendemain.

– Sans doute, sans doute! Il n'en reste pas moins qu'elle a pu remarquer certains visiteurs spécialement assidus, éprouver, qui sait? la curiosité de rôder autour de la maison un jour que votre défunte femme cherchait à l'en éloigner...

Roland Dunoyau haussa les épaules d'un air découragé :

— La Félicité n'est pas une servante comme les autres. Je pourrais dire que ma femme, nourrie de son lait, me l'a apportée en dot. Elle aimait Clémentine autant que je l'aimais moi-même, sinon plus, et probablement mieux. L'appât même d'un don généreux semble la laisser indifférente.

Le juge de paix en parut choqué :

— Voyez-vous cela! Peut-être la perspective d'une peine de prison lui fera-t-elle plus d'effet?... Donnez-moi son nom de famille et son adresse, je me charge d'elle!

— Et moi, décida le capitaine, je me charge des petites, car il est indubitable, répéta-t-il fermement, que l'assassin de l'Odile et l'homme qui a rendu visite à feu Mme Dunoyau le soir de sa mort sont un seul et même individu. (Une pause.) Il est non moins indubitable que cet individu se trouvait parmi nous samedi dernier. (Nouvelle pause, destinée à défier l'opposition, mais le juge regardait par la fenêtre.) A propos (ceci s'adressait à Roland Dunoyau), vous nous avez bien dit que l'Odile commençait d'épeler son nom? De vous à moi, elle en était à quelle lettre?

Roland Dunoyau écarta les bras en signe d'impuissance :

— Si je le savais! Le guéridon a commencé par frapper vingt-neuf coups. L'Odile en était toute retournée. Je l'entends encore me dire : « Il doit y avoir erreur! » Là-dessus, elle s'est remise à l'écoute de l'au-delà et le guéridon a frappé un, non : deux coups... A la réflexion, l'armoire a dû basculer au troisième...

– Comme le guéridon, par conséquent, frappait la lettre C?

– C ou peut-être D... Je ne regardais plus que l'armoire qui piquait sur nous...

Le capitaine de gendarmerie n'insista pas autrement. Il paraissait subitement egayé :

– Que l'Odile jouît ou non du pouvoir de converser avec les morts, cela élimine à tout le moins M. Ventre! Il avait le temps de voir venir.

– D'accord, dit le juge de paix. En revanche, cela n'élimine nullement les noms commençant par A, B, C, ou D. (Rancunier, il songeait à Bonnet.) Une armoire ne bascule pas dans la seconde et peut-être l'assassin *courait-il après le temps perdu?* Je ne connais pas de mobile plus puissant que la peur, ajouta-t-il, didactique. Le nom de l'assassin commencerait-il par Z que cela ne changerait rien à l'affaire.

Roland Dunoyau, lointain, comptait sur ses doigts :

– B comme Bonnet, G comme Gabriella, G comme Giacobi...

Le juge de paix en avala de travers :

– Minute, Dunoyau? G comme *Giacobi!* Qu'insinuez-vous par là?

– Rien... Je soupçonne six hommes et vous comptez parmi ces six.

– Vous oubliez que c'est moi qui mène l'enquête!

– Je mène aussi la mienne, dit Roland Dunoyau.

IX

SÉNÉ SUR LA SELLETTE

La crue de la Seine et de ses affluents, loin de
décroître, ne faisait qu'empirer, tout particulièrement dans la capitale où la situation frisait le
tragique, plusieurs quartiers étant maintenant inon-
dés. L'affaire prenait même de telles proportions
qu'elle inspirait des complaintes aux poètes, gent
particulièrement émotive comme chacun sait :

Choisy-le-Roi, Villeneuve-Saint-Georges,
Paris, Passy et même Auteuil,
De partout le flot se dégorge.
Partout de l'eau, toujours de l'eau,
Mais plus de pain et plus d'ouvrage.
On n'entend plus que les sanglots
Des gens ayant perdu courage.

M. Sénéchal replia son journal, bâilla sans s'en
cacher (pour qui s'en fût-il caché?) et se disposait à
faire tiédir la tisane de salsepareille dont il buvait
un bol soir et matin quand le carillon de la porte
d'entrée lui arracha une exclamation étouffée.

Dans ses cauchemars, c'était toujours à cette
heure indue qu'on venait à sonner avec insistance

et c'étaient toujours deux hommes au maintien compassé qu'il trouvait dans la pharmacie faiblement éclairée.

Comme il poussait la porte intérieure de la boutique, il n'en éprouva pas moins un choc. Deux hommes au maintien compassé se tenaient sur le seuil. L'un était le juge de paix, l'autre le capitaine de gendarmerie.

– M-M-Messieurs..., bredouilla le pharmacien haussant machinalement la flamme du bec Auer. Que me vaut, à cette heure...?

En vain cherchait-il ses mots et à clarifier sa voix.

– Adieu, mon cher! dit rondement le capitaine. Sans doute se fait-il tard et seriez-vous fondé à nous mettre légalement dehors, mais nous avons à causer sans délai...

– Vraiment? De... De quoi?

– Voyez-vous ce cachottier qui paraît tomber des nues! Du mystérieux trépas de feu Mme Dunoyau, ne me dites pas que vous ne l'avez pas deviné!

Le pharmacien fit appel à tout son sang-froid :

– Je... J'aurais cru que vous enquêtiez sur la mort de l'Odile?

– Enquêter sur la mort de l'une *revient à enquêter sur la mort de l'autre*, expliqua patiemment le juge, piquant une boule de gomme à l'eucalyptus dans un bocal demeuré ouvert. Je suggère que vous fermiez boutique et nous offriez quelque rafraîchissement, poursuivit-il dans l'évident dessein de mettre leur hôte à l'aise.

– V-V-Volontiers! Par ici, je vous prie! bafouilla

M. Sénéchal qui sentait ses jambes se dérober sous lui. Don-Donnez-moi le temps d'éteindre le gaz.

Durant un bref instant tous trois se trouvèrent dans le noir, un noir éclaboussé de rose et de bleu par réflexion, et la tension s'en accrut jusqu'à ce que l'arrière-boutique s'éclairât à son tour.

Le capitaine de gendarmerie accepta un vin cuit tandis que le juge de paix penchait pour l'anisette. Charité bien ordonnée finit quelquefois par soi-même : M. Sénéchal, avide de réconfort, se versa un marc du pays. Adieu, salsepareille! Il souffrait mille morts.

— Vous permettez? dit le juge, ôtant son pardessus et le disposant avec soin sur le dossier de sa chaise tandis que le capitaine, qui se trouvait en uniforme, étendait les jambes et croisait ses bottes.

Le pharmacien en éprouva de nouvelles affres. Que lui voulaient ces amis de la veille?... Tout ceci, quoique accommodé à la bonne franquette, ressemblait singulièrement à une visite officielle.

Il ne devait apprendre que trop tôt ce qu'on attendait de lui.

— Voyez-vous, mon cher, conclut le juge, achevant d'exposer ce qu'il avait appris au cours de la semaine (pardon, ce que lui et le capitaine de gendarmerie avaient appris au cours de la semaine), un doute nous est finalement venu, à mon ami Belarmand et à moi. Etant entendu, comme j'espère vous l'avoir bien fait comprendre, que la mort de feu Mme Dunoyau et celle de l'Odile sont intimement liées et qu'il convient d'éclaircir la première pour découvrir le responsable de l'autre, il nous a paru peu probable, à la réflexion, qu'on pût s'empoisonner à l'aide de simples cachets somnifères. Sans doute les docteurs Gabrielle et Misère ont-ils délivré le permis d'inhumer sans autre difficulté, mais convenons-en à leur décharge : ils étaient sans méfiance. Aujourd'hui ils y regarderaient probablement à deux fois. Je vous pose dès lors la question tout à trac... Jugez-vous que les cachets pris par feu Mme Dunoyau – j'entends : pris à dose massive – étaient d'une toxicité telle qu'ils pussent envoyer la dame dans l'autre monde?

– Ma foi... commença M. Sénéchal.

– N'allez pas ergoter. Répondez par oui ou par non.

Ainsi pressé, M. Sénéchal en oublia ses craintes d'homme pour recouvrer l'assurance du pharmacien. « Ergoter » l'avait intimement blessé.

– Je ne sais personne en ce bas monde qui puisse répondre à une question par oui ou par non sans trahir la vérité et mériter le nom d'imbécile, dit-il nettement. En l'occurrence je n'ai fait qu'exécuter une ordonnance du Dr Gabrielle proprement illisible. Que ne vous adressez-vous au docteur?

– Nous n'y manquerons pas, soyez-en sûr, repartit le capitaine, mais c'est *à vous* que nous en avons présentement. J'aime à croire que, ces six derniers mois, vous n'avez délivré aucun poison dont vous ne puissiez justifier la destination?

– N-n-on, naturellement... A de rares exceptions près, ces substances sont d'ailleurs réservées à la préparation de remèdes et mélanges prescrits par la faculté.

– Probablement en dressez-vous un état rigou-
reux?

– Ainsi le veut la loi.

– Il semblerait donc difficile, pour ne pas dire
exclu, que l'une ou l'autre eût disparu à votre
insu?

Très difficile. Sans doute une erreur de calcul
ou une distraction sont-elles toujours possibles,
mais je ne me souviens pas d'avoir jamais commis
l'une ou l'autre.

– Je vois! dit sombrement le capitaine de gendarmerie.

– Mon petit Séné, soyez un amour de Séné! s'était
écriée Clémentine en poussant la porte ce jour-là.
(Elle aussi appelait le pharmacien Séné, pastichant
à son insu les pensionnaires du « grand 13 ».) Vous
me donnez de la mort-aux-rats?

M. Sénéchal avait été subitement induit en
méfiance sans qu'il pût bien s'expliquer pourquoi.

– Un moment, chère amie! Que voulez-vous faire
de mort-aux-rats?

Clémentine avait pris le temps de refermer son
ombrelle à volants quoiqu'elle eût fait entrer le
soleil avec elle. Elle rit :

– Que fait-on généralement de mort-aux-rats,
d'après vous?... On en verse dans la tasse de son
vieux mari ou dans sa propre tasse quand on est
lasse de la vie, non? Remarquez que je préférerais
de l'arsenic ou quelque chose de plus fort, à la seule
condition que cela n'ait pas trop mauvais goût...
Voyons, où rangez-vous vos poisons? Ici? avait-elle
questionné en ouvrant un pot marqué : « Citrin. »

Là? (Elle en désignait un autre, marqué : « Baleine ».) Suis-je bête, vous ne les laisseriez pas à la portée des curieux! (Ses larges jupes balayaient le sol carrelé dans un bruit de feuilles mortes tandis que, courant légèrement de côté et d'autre avec des mines d'enfant curieuse, elle semblait danser un ballet improvisé, « la pavane des poisons », nota distraitement M. Sénéchal.) Parlez, mon petit Séné, et je vous embrasse! Vous n'aimez pas qu'on vous embrasse? Ou, peut-être, avez-vous perdu la langue? J'y suis, vous *les* cachez dans votre arrière-boutique! (Elle y courut, laissant flotter derrière elle un parfum poivré de bergamote.) Là, dans cette petite armoire de laqué blanc, je parie! Osez dire que je me trompe!

— Vous ne vous trompez pas, mais n'espérez pas l'ouvrir. Elle est fermée à clef et cette clef ne me quitte pas.

En vain, le pharmacien avait-il parlé sec.

— Faites voir! (Elle lui déboutonnait déjà le veston sans qu'il opposât, à la vérité, une vive résistance, repérait, avec un cri de joie, la clef minuscule attachée à la chaîne de montre barrant son gilet.) L'amour de clef! Vous répondez que c'est la bonne?... Ouvrez l'armoire alors, méchant capon!

Il s'y était refusé en dépit des lèvres entrouvertes promises aux siennes. Clémentine, il s'en avisait à l'instant, était trop jeune, trop jolie pour un mari quinquagénaire. En outre il la connaissait assez pour soupçonner que, sous le couvert de la plaisanterie, elle lui avait laissé entrevoir la vérité.

Clémentine, l'œil noir, était sortie en tourbillon comme elle était entrée et, pendant des jours et des jours, il avait conservé au creux des mains la douce et pesante sensation de fruit mûr éprouvée comme il pressait sa tendre gorge en la repoussant sans vigueur...

Mais Clémentine, quoique partie fâchée, devait revenir avant longtemps, cette fois par un après-midi gris et pluvieux peu propice, en vérité, à la promenade. Elle était pâle, portait voilette. A peine eurent-ils échangé quelques mots qu'elle fut prise d'une étrange faiblesse, souhaita être étendue. Dans l'officine, elle tomba à la renverse sur une causeuse, se plaignant de manquer d'air, conjurant qu'on la délaçât. L'entreprise était semée d'embûches – boutons, agrafes, œillets – et assurément vouée à l'échec si l'intéressée ne l'avait subtilement facilitée en prenant les poses les plus idoines. Tandis que Séné s'appliquait, le carillon de la porte d'entrée retentissait fréquemment – la pluie, comme chacun sait, favorise coryzas et bronchites – et le déballage devait être à chaque fois suspendu pour débiter jujubes, infusions et sirops. Après une demi-douzaine d'interruptions du même ordre, Clémentine, enfin décorsetée, avait recouvré ses couleurs, le pharmacien perdu les siennes. « Etendez-vous, lui conseilla-t-elle gentiment. Vous avez des sels anglais ? » Cette question ! Elle s'activa en vrai grillon du foyer puis, comme prise d'une nouvelle faiblesse, bascula sur lui et lui permit de palper librement ce qu'il n'avait osé jusque-là que frôler de façon subreptice. Elle lui donna même, tout en se rajustant à la va-vite, le baiser colombin qu'il lui réclamait – et qu'elle lui promettait – depuis des mois...

Ce n'est qu'en fin de semaine – et Clémentine était morte la veille au soir – que, pris d'un tardif soupçon, Séné devait constater la disparition du flacon d'aconitine.

Si M. Sénéchal avait cru désarmer l'ennemi par sa bonne volonté, sinon par sa franchise, il s'égarait.

De ses deux visiteurs, c'est le capitaine de gendarmerie qui demeurait le plus mauvais :

– Où rangez-vous votre réserve de poisons?

Le pharmacien se souvint avec nostalgie que feu Clémentine lui avait posé la même question sur un tout autre ton, mais une coquette est une coquette et un gendarme un coquin comme on dit dans le pays quand il n'y a pas de coquin dans le coin.

– De... Dans mon officine, dit Séné.

Lui qui tenait Belarmand pour un ami!

– Faites-nous-la voir.

Séné obtempéra, la mort dans l'âme. Ses souvenirs l'étouffaient.

– Les poisons sont enfermés dans cette petite armoire de laqué blanc, fermée à clef, cela va de soi, et dont la clef ne me quitte pas.

– Faites-nous-la voir.

Séné déboutonna son veston – de ses propres mains cette fois – exhiba sa chaîne de montre et montra la clef.

– Hum! (Le capitaine paraissait de plus en plus sombre.) Faites-nous voir vos livres.

Là, Séné respira. Le capitaine, pas plus que le juge, n'était capable de comprendre goutte à la balance des entrées et sorties et de déchiffrer ses pattes de mouche.

Ils n'y consacrèrent pas moins l'heure, s'attardant à vue d'œil et passant plus de temps à s'entreregarder qu'à contrôler les quanta. Minuit sonnait quand ils s'avisèrent en commun que leurs épouses devaient commencer à s'alarmer d'une absence exceptionnellement justifiée.

Leurs pas résonnaient depuis longtemps dans d'autres quartiers alors que Séné, tête à tête avec le remords, continuait de les entendre se rapprocher de rue en rue.

X

D'ENTRE LES MORTS

Quel instinct poussa, ce soir-là, Roland Dunoyau à prendre le chemin du Vieux Cimetière ?

Peut-être, tout bien pesé, fut-ce moins l'instinct que la résurgence d'une habitude remontant au temps où il ne conversait pas encore avec l'esprit de feu Clémentine par l'entremise de l'Odile et où il allait rôder, un soir sur deux, autour du Vieux Cimetière pour se rapprocher de la chère disparue ?

Le temps demeurait chaud pour la saison. Vue des Remparts, la petite ville ressemblait à un jeu de cubes renversé où les lumières s'éteignaient en chaîne comme sont soufflées les bougies d'un gâteau d'anniversaire.

Roland Dunoyau soupira. En cette fin de journée lui rappelant des souvenirs tendres ou brûlants, il songeait davantage à Clémentine qu'à l'inconnu dont il projetait de tirer vengeance, se sentait, par extraordinaire, plus porté à aimer qu'à haïr...

Tout à ses pensées, il allait laisser derrière lui l'entrée du cimetière quand un spectacle inattendu le cloua sur place. Les grilles de la nécropole, toujours fermées dès 6 heures, grinçaient légèrement sous le souffle chaud du sirocco. Une lumière clignotait dans la loge du gardien. Un lointain incendie paraissait allumé parmi les tombes.

Roland Dunoyau, tout en s'en défendant, songea à des spectacles interdits aux simples mortels, conciliabule de spectres ou macabre farandole, mais le lumignon éclairant chichement la loge du gardien attestait que le surnaturel n'était pas de la partie. Le sirocco, du reste, lui apportait l'écho de voix ouatées...

Sa première émotion surmontée, Roland Dunoyau s'avança dans l'allée principale comme un somnambule. Pour lui, depuis qu'elle y était enterrée, il n'y avait plus d'autre gisante au cimetière que sa Clémentine. Quelqu'un troublait impudemment son repos. Il lui fallait savoir qui...

Des chauves-souris volaient bas tandis que des feux-follets couraient à ras de terre, jetant de furtives lueurs bleues sur le sinistre appareil de la mort : croix emperlées, dalles fendues, portraits passés, épitaphes exprimant en peu de mots toute la douleur du monde et que la lune montante mettait de-ci de-là en relief :

Chers Parents, du haut du Ciel, veillez sur vos Enfants.

« Je suis la Résurrection et la Vie » (Christus Rex.)

The Rain is over and gone.

The Winter is past.

Ainsi, de croix en dalle et de portrait en épitaphe, Roland Dunoyau, foulant aux pieds mottes de terre meuble et pommes de pin, se rapprochait peu à peu de cet étrange incendie qui paraissait couver sur place...

Chacun vous dira qu'il existe des détrousseurs de cadavres, fût-ce sous le ciel serein du Midi. Allait-il avoir affaire à de tels vampires ? Sa vie, en l'occurrence, tiendrait à un fil.

Quoique fermement résolu à rejoindre un jour prochain feu Clémentine où qu'elle fût, Roland Dunoyau marqua une hésitation. Peut-être valait-il mieux rebrousser chemin – il n'était pas en nombre –, revenir, escorté de forces de police ?

Redoublant d'attention il compta cinq – non, six – porteurs de torches jouant les ombres chinoises. D'aucuns demeuraient immobiles, réduits au rôle de lampadaires, mais les autres paraissaient s'activer autour d'un mausolée surmonté d'anges pleureurs et d'angelots affectés : la concession à perpétuité des familles Carusco et Portejoie, les fortunées du pays.

Là-dessus les torches jetèrent de nouvelles étincelles et Roland Dunoyau mesura son erreur : les vandales ne s'attaquaient pas au mausolée Carusco-Portejoie, ils venaient tout juste de soulever la dalle voisine, ornée d'urnes polychromes : la dalle sous laquelle feu Clémentine dormait son dernier sommeil.

Les derniers vingt mètres furent les plus longs à couvrir. La mauvaise sueur collant son linge à sa peau, ses pieds se faisant plus lourds de seconde en seconde, Roland Dunoyau craignit un moment de devoir s'arrêter.

Personne ne l'avait entendu approcher.

— Grands dieux! (Sa voix, quoique éteinte, porta loin dans le cimetière endormi.) Qu'êtes-vous en train de faire là?

L'ombre chinoise la plus proche se retourna tout d'une pièce. Elle portait un pardessus de couleur sombre et un blanc faux col empesé au-dessus duquel, par contraste, le visage paraissait crayeux. C'était M. Giacobi, le juge de paix.

Des deux, il fut sans doute le plus saisi :

— Monsieur Dunoyau?... Pour autant que je sache, vous n'avez pas été prié de vous joindre à nous... Quelqu'un vous aurait-il prévenu à notre insu?

Roland Dunoyau ignora la question.

— Grands dieux! répéta-t-il, atterré, comme la vérité commençait de se faire jour dans son esprit. Qui vous a permis?...

Une deuxième ombre chinoise, sertie d'écarlate par la lueur fumeuse des torches, montra son endroit. C'était le capitaine de gendarmerie Belarmand.

— M. le juge et moi-même avons été amenés à conclure que feu Mme Dunoyau n'avait pu être emportée par la simple ingestion de cachets somnifères, exposa-t-il, pesant ses mots. Nous procédons à l'exhumation de son cadavre aux fins d'autopsie.

– N'auriez-vous pas dû m'en informer?

– Nous n'y sommes pas tenus par la loi et le temps pressait...

Il n'y avait rien à répondre à cela et Roland Dunoyau ne répondit rien : la dépouille même de sa femme ne lui appartenait plus...

On s'activait de tout côté et, sous ce jour funèbre, la tombe profanée prenait un aspect de fourmilière, le tumulus, hâtivement édifié par les bêches, effritant à mesure qu'il s'élevait. La terre éventrée dégageait une odeur amère. Des insectes obliques et véloces s'égaillaient de tous côtés. Les chauves-souris, sous le couvert des ifs, voletaient de plus en plus.

Le cercueil, quasi intact, fut hissé hors de la fosse à l'aide de cordes. Son couvercle commença de bomber et se fendre sous l'effet conjugué des vrilles et des marteaux.

– Une supposition qu'elle ait pris le large? suggéra un anonyme. On ne saurait tout à la fois être sous terre et dans un guéridon.

La plaisanterie parut de mauvais goût à tout le monde, sauf à son auteur qui reprit un coup de rouge.

En vérité, feu Clémentine continuait de reposer sagement dans son douillet lit de satin blanc, les mains croisées sur sa gorge et les broderies étagées de sa robe de mariée l'enserrant étroitement jusqu'aux cuisses à la façon d'une momie.

Mais elle avait bien changé.

– Portez-la jusqu'au charreton, ordonna un petit homme à l'air diligent et à la jaquette sale – le Dr Marseille, médecin légiste – désignant un attelage de fortune qui attendait à l'écart. Je vous la rendrai dans les quarante-huit heures, jolie comme avant.

Roland Dunoyau, pris de nausée, s'adossa au mausolée Carusco-Portejoie pour ne pas tomber.

Cela aussi serait porté au compte de « l'inconnu ».

Son amour était mort, mais sa haine d'autant plus aiguisée.

XI

VODKA

Entre-temps rien n'avait changé au « grand 13 », sinon que les clients se faisaient chaque jour plus nombreux et plus larges. Il en venait de loin, et jusque de Dijon, tous plus friands de détails que de mamours, qu'on voyait pour la première fois et, assurément, pour la dernière.

Mme Adèle n'aurait pu prétendre sans mentir que cela la fâchât – elle y trouvait son compte – mais elle n'était pas non plus tellement contente. Une maison hospitalière se doit, avant tout, d'avoir bonne réputation. La sienne, par la force des circonstances, se trouvait en danger de passer pour un mauvais lieu...

Feu Albert, par infortune, ne pouvait plus l'aider de ses conseils, mais peut-être M. Vorobeïtchik, toujours si efficace, consentirait-il à assurer l'intérim? Ce qui importait en premier, c'était de se procurer de la vodka, sa boisson préférée, et on n'en trouvait pas dans le pays. Mme Adèle écrivit au grossiste du chef-lieu et o'en fit délivrer deux bouteilles par chemin de fer.

Restait à chambrer l'intéressé à la première occasion, l'amener à se départir de sa réserve slave.

La chose prit du temps, quelque obstacle inattendu se mettant régulièrement à la traverse, mais Mme Adèle avait la patience de l'araignée guettant la grosse mouche.

— A la bonne vôtre! dit-elle, ce vendredi 13, avalant son verre de vodka d'un trait et craignant d'en mourir incontinent.

— *Tchampéï*! retourna civilement M. Wens.

« Pour sûr que c'est du chinois! » se dit Mme Adèle, éblouie. Et, de fait, c'en était.

— Je vous ai préparé des zakouski, poursuivit-elle, empressée. Vous devez aimer ça?

— Les zakouski ont leur bon côté en ce sens qu'ils aiguisent la soif, concéda M. Wens. Dans le Midi, je ne les en estime pas moins déplacés.

Mme Adèle en porta la main à son cœur. En dépit de son souci de plaire, elle oubliait toujours qu'elle avait affaire à un grand seigneur insensible aux réactions du vulgaire.

— Je vous fais une soupe de poisson? proposa-t-elle vivement.

Mais M. Wens hocha la tête, rattrapant son monocle au creux de la main gauche :

– Je crains qu'un tel mets ne soit un peu relevé à cette heure-ci. Tenons-nous-en à votre encas et confessez-moi tout.

Mme Adèle éprouva la délicieuse sensation d'être déshabillée en un tournemain. Une fois de plus, son interlocuteur avait mis dans le mille.

Volubile, elle lui exposa ses problèmes. Depuis la mort de l'Odile, elle gagnait certes plus d'argent, mais n'en aimait pas l'odeur. Le juge de paix et le capitaine de gendarmerie menaient assurément l'enquête bon train, mais, à tout prendre, ils n'avaient appris que ce que tout le monde se chuchotait de bouche à oreille. Feu Clémentine, finalement, n'était pas morte parce qu'elle avait absorbé des cachets somnifères, mais de l'aconitine. Quelle différence, je vous le demande?

– Une sensible différence, estima M. Wens, allumant une cigarette à bout de carton, frappée d'aigles d'or jumelés. Nous savons désormais que feu Clémentine, impuissante à rallumer un amour ancien, s'est délibérément jetée dans la mort.

– Alors, les cachets somnifères, qui les a finalement avalés?

– Personne, si vous m'en croyez, dit M. Wens. On ne les a fait disparaître que pour accréditer une mort accidentelle. Voulez-vous que je vous dise comment, selon moi, les choses se sont passées?

– Tiens! s'exclama Mme Adèle. Je n'espère que ça.

M. Wens jeta sa cigarette. Il ne tirait jamais d'une cigarette plus de deux ou trois ronds de fumée, la sacrifiant dès la première bouffée quand ils étaient malvenus.

– Feu Clémentine, quoique nymphomane, demeurait fidèle par la pensée à un premier amour qu'elle a dû retrouver fortuitement. Profitant d'une absence de son mari, elle a invité cet homme chez elle. Elle comptait le reprendre ou en finir avec la vie, ce pourquoi elle s'était procuré de l'aconitine. Nous savons aujourd'hui par ouï-dire qu'elle avait donné campo à sa fidèle servante et revêtu sa plus belle robe, à tout le moins une robe tout entachée de souvenirs. Nous savons aussi que l'inconnu se rendit à son invitation et que Clémentine fit tout pour le séduire, apparemment sans succès. Une femme comme elle ne pouvait survivre à pareille humiliation, ce pourquoi l'aconitine a remplacé les cachets.

Mme Adèle béait d'admiration.

– En plein dans le mille! jubila-t-elle. Fatalité, Roland Dunoyau, lui aussi, a dû comprendre depuis longtemps?

– *Da*, approuva M. Wens par inadvertance. Et un tel jaloux ne saurait pardonner à quiconque d'être demeuré insensible aux charmes de sa femme.

Là, Mme Adèle se sentit dépassée. A ses yeux, M. Vorobeïtchik n'avait qu'un tort : il volait aux conclusions.

M. Wens dut enregistrer son trouble, car il questionna gentiment :

– Vous me suivez?

– Pour sûr! dit Mme Adèle. Vous expliquez tout si bien! On dirait un livre...

Elle tendait la main vers la bouteille de vodka quand elle se rappela que son hôte n'avait plus de verre (il en avait déjà fracassé trois à l'aveuglette pour lui faire honneur) et ouvrit le dressoir pour y prendre un quatrième.

— *Tchampeï*! dit-elle, les yeux brillants, et sûre de l'étonner.

— *A la vostra*! dit M. Wens, faisant cul sec et projetant le verre contre le mur.

« Il me ruine! » songea Mme Adèle, ravie.

XII

L'AIR DES BIJOUX

L'idée vint de Mireille qui, née sur le Vieux Port, tout comme Mme Adèle, avait naturellement son franc-parler.

L'enquête piétinait, pas vrai? pour autant qu'on pût appeler « ça » une enquête. Qu'avaient découvert, je vous le demande, en bientôt quinze jours, Tonio et Bel-Ami? (Traduisez : Giacobi et Belarmand.) Autant dire rien(g). Que savaient-ils aujourd'hui du meurtrier? Moins que rien(g). L'Odile, à ce train-là, ne serait jamais vengée. Or, mettez-vous à sa place, Mme Adèle, et n'allons pas dire du mal des morts, je serais elle, je me retournerais dans la tombe tant que mon meurtrier n'aurait pas payé sa dette envers la société. (Mireille, qui passait ses rares loisirs à dévorer du Jules Mary et autres Pierre Decourcelle, vous tournait bien la phrase.) Le jour qu'on connaîtrait le galant de feu Clémentine, on connaîtrait aussi l'assassin de l'Odile, non? Dès lors pourquoi ne pas s'adresser au Bon Dieu plutôt qu'à ses saints? Qui savait finalement mieux que feu Clémentine soi-même ce pourquoi et comment elle était morte? Pourquoi ne pas *la réinterroger* comme s'y était essayé son veuf et l'obliger à se confesser? Pourquoi ne pas demander à l'Amadou d'assurer la relève de l'Odile?...

L'Amadou!... Mme Adèle en tomba de son haut. Que savait cette sombre enfant des Antilles du langage des morts?

– Elle allume quatre chandelles aux quatre coins de la pièce pour faire la pièce propre, expliqua Mireille. Elle se met partout de l'huile de palme à la mode de Belle Fontaine pour écœurer le diable et pour pas qu'il l'emporte. Là-dessus, elle questionne le guéridon comme faisait l'Odile, l'énervant du pied.

Le soir même, Mme Adèle réunissait le juge de paix, le capitaine de gendarmerie, M. Vorobeïtchik et Roland Dunoyau autour de la seconde – et dernière – bouteille de vodka. Elle avait jugé peu politique de prier aussi Mireille – la petite aurait pu s'en croire – mais elle rapporta fidèlement ses propos.

L'assistance, dans l'instant, fut divisée. M. Vorobeïtchik tenait le projet pour chimérique, le capitaine de gendarmerie pour imbécile. Ils se tournèrent vers le juge de paix, quêtant son approbation. C'était méconnaître les Corses et leur goût de la contradiction.

– Balai neuf vaut l'essai, dit le juge. J'inclinerais donc à courir l'expérience, à cette seule condition que M. Survenant n'en eût pas vent. Reprendre langue avec feu Clémentine – je le souligne en passant – *revient à tendre un piège à l'assassin.*

M. Vorobeïtchik et le capitaine Belarmand, interdits, durent confesser qu'ils n'avaient pas pensé si loin. Quant à Roland Dunoyau, tout moyen, si hasardeux fût-il, visant à démasquer l'inconnu qu'il s'était pris à haïr, devait emporter son approbation.

– Remarquez que je n'attends pas d'autre révélation de *l'au-delà,* reprit doucement le juge de paix. En revanche, si nous tablons sur la peur qui semble avoir inspiré au criminel une première sottise, il nous est permis d'en espérer *d'en deçà.* Je suggère que nous invitions tous les habitués du samedi soir – partant, tous les suspects – à assister à cette séance. Il est, par le fait, évident...

Plein de son sujet, il discourut pendant cinq bonnes minutes sans que personne songeât à l'interrompre. Outre qu'il prêchait des convertis, chacun sait qu'un Corse réussit à vous endormir par son seul ronron. Quand il conclut, il avait gagné par abandon.

Restait à décider l'Amadou à rétablir la liaison avec l'au-delà. Pourquoi remettre à demain?

Par chance, elle veillait.

Ils la trouvèrent se bâtissant une de ces modestes chemises à jours où elle jouait les innocentes et fredonnant avec l'accent de Belle Fontaine :

> *Quand li petite boiteuse,*
> *Allé voi' son petit se'gent,*
> *Li y va jamais*
> *Sans mett'e un jupon blanc...*

M. Vorobeïchik, quoique soucieux, se demanda in petto quel charme subit ses contemporains découvraient aux boiteuses. Personnellement, il les trouvait mal équilibrées.

En dépit de cette intrusion massive, Amadou continuait de tirer le fil et de chantonner :

Li a un jupon
Qu'a le bout tout rond,
Li a un fichu
Qu'a le bout pointu.
Ah, zi donne'ais tout mon fou'niment
Pou' êt'e à li place di petit se'gent!

– Cela suffit, Amadou! dit sévèrement Mme Adèle. Nous avons de la visite.

– Té, ze le vois bieng! soupira Amadou. Pou'quoi fé?

A la vérité, elle mélangeait les accents.

Mme Adèle prit le temps de lui expliquer la chose par le menu. Si l'on en croyait Mireille, Fifi, et les autres, Amadou savait parler aux esprits? M. le juge et M. le capitaine de gendarmerie cherchaient vainement à découvrir *comment* fcu Clémentine et *pourquoi* l'Odile étaient mortes trop tôt. La moindre révélation, arrachée à l'une ou à l'autre morte, ferait prendre le criminel. M. le juge et M. le capitaine de gendarmerie, M. Dunoyau qu'elle aimait bien et elle-même, Mme Adèle, mettaient leurs ultimes espoirs en elle. Avait-elle bien compris?

– Pa'faitement comp'is, dit Amadou, coupant son fil des dents. Zi veux pas.

– Mademoiselle Amadou! (De tous, le juge de paix paraissait le plus peiné, et le plus choqué.) Vous pleurez assurément une amie?

– Zi la pleu'e pas! fit Amadou, têtue. Li pas bonne copine.

Le juge de paix avait prévu une telle opposition. Il insista :

– Je n'en suis pas moins sûr qu'il vous arrive de la regretter, de souhaiter qu'on guillotine son assassin?

– Moi pas aimer guillotine, dit Amadou. Jeu ba'ba'e.

– Pardon?

– Zi dis : jeu ba'ba'e. Vous du' d'o'eilles?

Mme Adèle contint mal son indignation. Cette petite était impossible, comment ne s'en avisait-elle qu'aujourd'hui? Il est vrai que le juge de paix la connaissait mieux que personne. Chaque samedi, à moins qu'elle fût en main, il lui donnait la préférence.

– Amadou, mon petit! (M. Giacobi en transpirait des gouttes de sueur grosses comme des petits pois.) Vous m'aurez mal compris! Reprenons tout depuis le début, si vous voulez bien...

– Le déluze? questionna Amadou.

Mme Adèle n'y put tenir plus longtemps :

– Pose ta couture. M. le juge te fait le grand honneur de te parler. Fais-lui, je te prie, celui de l'écouter.

– Z'écoute! protesta Amadou. Z'en pe'ds pas un t'aît'e mot!

Mais elle gardait les yeux obstinément fixés sur ses entre-deux.

Le juge de paix, mettant sa menace à exécution, prit la peine de tout réexpliquer depuis le début. D'autres qu'Amadou, cette libre fleur de la Guadeloupe, n'y eussent pas survécu. Gentiment, elle demeura la bouche ouverte, apprenant sans plus d'étonnement que la Justice avait besoin d'elle et que la mère-patrie comptait sur ses Colonies. Que lui demandait-on, au fond? Peu de chose, trois fois rien. D'exercer ses talents comme dans sa ville natale. Et dans quel dessein? Aider la Loi, venger l'injuste trépas d'une infortunée compagne.

Amadou avait écouté avec la plus vive attention.

– Li été plus 'iche que moi, me 'acontez pas d'histoi'e! retourna-t-elle, indignée. (Son petit front se plissait sous l'effet de la réflexion.) Amadou veut 'ien avoi' affé avé li mo'ts!

Pour la première fois, le juge de paix parut perdre pied. A défaut de vertu tout court, la petite aurait pu montrer quelque vertu civique.

Mme Adèle, subitement inspirée, trouva l'expédient. D'un geste vif, elle se saisit de la chemise faufilée et la dissimula derrière son dos :

– Amadou!

La petite cherchait autour d'elle sa pièce de lingerie sans bien s'expliquer par quel tour de passe-passe elle en était privée.

– Tu interroges l'esprit de Mme Clémentine et je te paie une coupe entière de batiste!

Amadou, qui cherchait aussi son aiguillée et son dé (ils avaient roulé Dieu sait où), en avait les larmes aux yeux :

– Moi assez batiste pou' deux ans.

– Je t'offre une nouvelle robe! En soie. Des Galeries Parisiennes.

– Pou'quoi fé? gémit Amadou. Suis tout le temps à poil.

Mme Adèle en rougit jusqu'au chignon.

– Amadou, un peu de tenue, je vous prie! Messieurs, vous l'excuserez : c'est la benjamine...Tiens, écoute-moi bieng... (Rien de plus contagieux que le « g » terminal sous le soleil du Midi.) Interroge Mme Clémentine comme le faisait l'Odile et je te donne la croix de ma mère!

Ainsi Mme Adèle désignait-elle, par manière de tentation, un simple bijou de fantaisie orné de faux rubis que la petite guignait depuis longtemps.

Amadou en retint son souffle :

– Peut-êt'e aussi li chaîne?

– La chaîne aussi.

Elle faisait quatre fois le tour d'une guimpe, mais avait été achetée au bazar.

Amadou prit le temps d'une ultime réflexion :

– Peut-êt'e aussi zolie clef?

– Quelle clef?

– Li clef du d'essoi'. En ve'meil.

– Va pour la clef!

– Vous me li donnez su'-le-champ?

– Ah non, ma fille, *après!* marchanda Mme Adèle. (Où aurait-elle trouvé le temps de faire faire une clef en simili?) Tiens, prends toujours la châtelaine et la croix. Elles t'iront mieux qu'à moi... Contente?

– Vous t'ès zentille, admit Amadou. Tout li monde t'èz zentil.

Mme Adèle poussa son avantage :

– Alors, c'est oui?

Amadou regardait les faux rubis par transparence avec une joie d'enfant. Elle leva lentement une petite main brune et se signa du majeur à l'endroit du cœur, à la mode de Belle Fontaine.

– Cé oui, madame Adèle... Pauv'e pitite Amadou qu'aime t'op beaux bizoux! poursuivit-elle un ton plus bas, pour elle toute seule. Not'e Pè'e, qu'êtes aux cieux, et Madame Ma'ie, faites qu'il lui a''ive 'ien...

XIII

LA PAROLE EST AU GUÉRIDON

Neuf heures sonnèrent au cartel du salon et quelqu'un fit observer qu'il retardait de dix minutes sur l'église Saint-Joseph.

M. Ventre, rubescent et émerillonné, tirait d'un havane près de sa fin de malodorantes bouffées. Alain Bonnet, le front dans les mains, feuilletait distraitement *Les Recettes de Tante Ursule*, n'en regardant que les images. Le docteur Gabrielle et M. Sénéchal, à seule fin de tuer le temps, discutaient sans passion de toxémie et toxicomanie, s'observant en dessous. M. Vorobeïtchik, dans son raglan mouillé, s'était rapproché du poêle, tel un oiseau frileux, laissant pendre à son côté une main que Referee, exceptionnellement consigné, aimait pousser de son museau pressant. M. Giacobi allait et venait à pas nerveux, les basques de sa jaquette relevées en queue de coq. Le capitaine Belarmand, contraint de s'asseoir au piano, faute de trouver un autre siège, en tapotait les touches, toujours les mêmes touches, sans en paraître autrement agacé. A l'orée du vestibule, Mme Adèle et la vieille Maria, sur leur trente-et-un, se livraient à un bruyant aparté, se demandant l'une comme l'autre qui réglerait finalement la dépense...

L'apparition d'Amadou fit sensation.

L'Amadou, pour la circonstance, avait revêtu une sorte de robe sac d'un blanc sale, entravée à la hauteur des genoux, qui contrariait sa marche. Un madras d'un jaune éteint, descendant jusqu'aux sourcils, lui emboîtait le cheveu. Elle s'était laqué de bleu les paupières et les lèvres. La croix-de-ma-mère jetait de faibles feux au creux de son corsage fermé, mais elle avait ôté ses pendants d'oreilles. Elle répandait une odeur forte : épices et huile rance. Pour tout dire d'une phrase, elle ne se ressemblait plus.

D'aucuns, se référant à de plaisants souvenirs, l'auraient cru moins foncée et s'en trouvèrent refroidis. D'autres, dès l'instant qu'elle les leur dérobait dans sa robe-chemise, étaient tentés de lui découvrir de nouveaux attraits. Le juge de paix, ne prenez que lui, toujours prompt à s'enflammer, dut se rappeler à regret qu'il y a temps pour tout et samedi est samedi...

– Je vous offre la goutte ou autre chose? proposa Mme Adèle.

Personne ne dit non. Chacun, à commencer par l'assassin, avait besoin d'un remontant.

L'Amadou, l'escalier bien descendu, avait traversé le salon comme une somnambule sans regarder personne – qui aurait-elle plus particulièrement regardé, quel véritable ami comptait-elle en ce bas monde? – et poussé de sa main tendue la porte de la chambre chinoise qui s'ouvrit en grinçant, se referma toute seule dans son dos.

Ces messieurs, égayés par la goutte, haussèrent bientôt le ton de l'autre côté, mais auraient-ils entonné : *Trois Orfèvres à la Saint Éloi* que cela n'aurait pas distrait l'Amadou de ses rites.

Elle commença – comme l'avait expliqué Mireille à Mme Adèle – par allumer quatre chandelles aux quatre coins de la pièce pour faire la pièce propre. Quand les chandelles commencèrent de clignoter, faute d'air, elle frappa le plancher du talon – sept fois, puis neuf – et virevolta d'un mur à l'autre, non sans trébucher, étalant partout l'arrondi froncé de sa robe-supplice pour y étouffer les petits oupapaous, démons mineurs plus fâcheux que méchants. Cela lui prit un moment, encore que le petit oupapaou, comme chacun sait, n'a pas la vie dure. Après quoi, elle pria Dieu Not'e Pè'e de ne pas les batt'e t'op fo't.

Le temps pressait, à en juger par les éclats de voix provenant du salon. L'Amadou tira un premier sachet de sa manche et souffla une poudre rose – poivre rouge des Iles – en direction du levant : échec au Grand Oupapaou. Elle tira un second sachet de son corsage et souffla une poudre grise – lave et sucre de canne – en direction du ponant : échec à la mort. Elle tira un troisième sachet de sous ses jupes et souffla une poudre-soufre – fémurs râpés et sauterelles-madame – en direction de l'invisible : échec à l'assassin.

Restait à prononcer une formule incantatoire

qu'elle récita à voix basse, avançant d'un pas pour reculer de deux jusqu'à ce qu'elle allât donner du dos dans le mur. Restait surtout à se recommander à Dieu No'te Pè'e et Madame Ma'ie et à fai'e bien attention à ne si laisser toucher pa' pe'sonne, sauf li mains, ou li cha'me se'ait 'ompu, peut-êt'e aussi sa t'iste vie...

La demie de 9 heures sonnait au cartel du salon – toujours en retard de dix minutes sur l'église Saint-Joseph – quand l'Amadou, fin prête, ouvrit toute grande la porte de la chambre chinoise et invita son monde à entrer.

Dans l'ombre ses paupières et ses lèvres viraient au noir. Les faibles feux jetés par la croix-de-ma-mère s'étaient éteints comme des braises froides sur sa robe terne. M. Vorobeïtchik, épris de photographie, la compara mentalement à une épreuve négative alors qu'un médium lui aurait trouvé des airs d'ectoplasme.

Pour tout dire d'une phrase, elle se ressemblait de moins en moins.

– Ghk! s'exclama M. Ventre qui s'était fait de cette soirée une idée plus plaisante. Allons-nous veiller un mort?

– Non, mais tenter, vous le savez bien, de ressusciter une morte! retourna le juge, pas content. Ce propos outrepasserait-il votre courage?

– Il outrepasse ma raison, dit le voiturier. Allez, ghk, ouvrez la marche! Je vous suis en premier.

L'Amadou, toujours « habitée », s'était déjà détournée pour satisfaire à une dernière exigence : disposer en forme d'étoile, sous les dix sièges entourant le guéridon, cinq veilleuses à l'huile et les allumer d'un seul brandon. Cela ne suffit pas à éclairer les lieux, mais permit à tout le moins de repérer l'envers des chaises.

– Ce qu'on peut rigoler! ricana M. Ventre, attendant vainement que quelque autre joyeux luron vînt à renchérir.

Mille pardons! bredouilla Bônô sur un tout autre ton. Je crains d'avoir écrasé un pied.

– Le mien, signala Mme Adèle sans rancune. Il n'y a pas de mal.

L'Amadou qui, comme chatte et chouette, y voyait dans le noir, s'assit bravement à l'endroit même où s'était assise l'Odile quinze jours plus tôt. Ainsi, par chance, tournant le dos au levant, tournait-elle aussi le dos au Grand Oupapaou, démon majeur, le contrariant dans ses entreprises et le mortifiant dans son orgueil.

Elle proposa que Roland Dunoyau s'assît à sa gauche, côté cœur, et le juge de paix à sa droite, côté justice.

Mais M. Giacobi l'entendait autrement :

– Un moment! On ne saurait tenir à dix autour d'un tel meuble à moins de se presser l'un l'autre. Je suggère que le capitaine Belarmand, M. Vorobeïtchik et moi-même, qui échappons à tout soupçon, gardions l'entière liberté de nos mouvements et celle de jouer les observateurs.

L'Amadou, heureusement surprise, n'allait pas dire non. Elle souhaitait depuis l'avant-veille être occultement protégée par une telle vigile. Les autres n'objectèrent pas davantage, la moindre opposition pouvant attirer sur son auteur les foudres aveugles de la Justice.

Dans l'instant qui suivit – M. Giacobi, le capitaine Belarmand et M. Vorobeïtchik ayant rompu le cercle – les sept chaises en rond craquèrent comme un dimanche à la messe.

La porte s'était refermée toute seule.

On n'attendait plus qu'une invitée qui n'entrerait ni par la porte ni par la fenêtre, à condition qu'elle voulût bien venir...

Elle fut là tout de suite, l'Amadou se trouvant dispensée d'épeler plus de deux lettres sous la dictée du guéridon pour qu'on l'identifiât : CL = Clémentine.

– Maintenant zé lui demande quoi? chuchota la petite, à l'adresse du juge de paix.

Ce dernier avait préparé tout un questionnaire, mais il ne fallait pas compter le lire dans une telle obscurité, à moins de se mettre à croupetons, position attentatoire à sa dignité.

– Demandez-lui comment elle est morte, souffla-t-il après une brève réflexion.

– E-m-p-o-i-s-o-n-é-e, répondit aussitôt le guéridon, non sans commettre une faute d'orthographe.

– Demandez-lui par quoi.

– A-c-o-n-i-t-i-n-e, épela le guéridon.

C'est alors que le juge de paix s'avisa, à sa confusion, qu'il venait de poser deux questions dont il connaissait par avance les réponses. Sans doute feu Clémentine paraissait-elle ce soir déborder de bonne volonté, mais elle n'en pouvait pas moins disparaître à tout moment. Il fallait la presser dans ses dernières retraites.

L'Amadou, cherchant son interlocuteur des yeux sans le trouver, revenait à la charge :

– Et à p'ésent? Faut fé fissa! recommanda-t-elle à toutes fins utiles.

Le juge de paix se tâta. Une question appelant un long développement comme, par exemple : « Expliquez - nous - par - le - menu - ce - qui - est - arrivé - le - soir-de-votre-mort », demeurerait assurément sans réponse. A lui, dès lors, de faire en sorte qu'un oui, ou non, ou un simple mot fût tout ce que la morte eût à dire pour éclairer le passé.

– Demandez-lui *où* elle s'est procuré le poison, chuchota-t-il dans l'oreille d'Amadou.

Séné, le front mouillé de sueur, subodora le danger. Il avait délibérément trompé la Justice. Si feu Clémentine venait à le vendre, ç'en était fait de son honneur et de son officine, peut-être même, qui sait? serait-il traîné en prison...

Ses mains s'étaient impulsivement alourdies sur la tranche du guéridon, contrariant les oscillations du meuble. Hélas! feu Clémentine, bien que désincarnée, devait avoir gardé une vigueur supérieure à la sienne, à moins que quelque autre assistant pesât sur le guéridon en sens inverse?

– F-a-r-m-a-c-i-e, répondit feu Clémentine par-delà la tombe.

A la réflexion, c'était beaucoup et peu.

– Quelle pharmacie? insista méchamment le juge de paix.

– S-é-n-é-c-h-a-l, confessa feu Clémentine sans autre vergogne. Séné, en dépit de sa sournoise obstruction, éprouvait l'hallucinante impression de se trahir lui-même.

Des murmures s'élevèrent çà et là, mais le capitaine de gendarmerie les fit taire d'un « tchtt » impatient. Une telle révélation ne faisait que confirmer les plus légitimes soupçons. On s'expliquerait avec Séné en fin de soirée et il n'avait pas fini d'en voir. Pour l'heure, il convenait de presser le train.

– Et maintenant? insistait une fois de plus l'Amadou, visiblement contente d'elle-même et se prenant au jeu. Zé lui demande quoi?

Le juge de paix prit le temps d'une ultime réflexion. La question clef, celle que tout le monde attendait, lui restait au fond de la gorge, car il était moins rassuré sur les suites de l'aventure qu'il ne le laissait paraître. Néanmoins « les autres » – à commencer par son coéquipier, le capitaine de gendarmerie – devaient trouver étrange – de plus en plus étrange – qu'il tardât tant à la poser. Il se sentit littéralement poussé en avant par une queue impatiente. Peut-être avait-il péché par témérité en organisant cette confrontation posthume? Par malheur, il n'était plus temps de reculer.

– Demandez-lui... (Il dut toussoter pour venir à bout de sa phrase, se reprit.) Demandez-lui le nom du visiteur inconnu qu'elle a reçu le soir même de sa mort.

Eternels recommencements... Telle était la question même, à une virgule près, posée à l'Odile par Roland Dunoyau quelque quinze jours plus tôt et qui avait provoqué la chute de l'armoire.

Dieu merci, il ne se trouvait plus d'armoire dans la pièce, la porte condamnée avait été recondamnée, tout nouvel « accident » semblait désormais impossible.

– Mame Clémentine, touzou là? questionna docilement l'Amadou. M. li Zuge vous dimande quil homme vous avez 'eçu chez vous le soi' di vot'e mo't. M. li Zuge veut savoi' son nom.

Deux hommes en frémirent, tous deux ayant rendu visite à feu Clémentine le soir même de sa mort. Le premier leva une main moite et la porta a son front mouillé, « rompant la chaîne ». L'autre, l'assassin, réussit à demeurer impassible – chacun sait que tout assassin, défiant la justice, s'entend à dominer ses sentiments – encore qu'un filet de sueur glacé lui courût dans le dos. Son propre sort, qui le laissait indifférent, et celui de ses proches, qui demeurait son premier souci, dépendaient désormais d'une lettre, voire de deux lettres, les premières lettres de son nom, arrachées à l'au-delà...

Amèrement, il songea au dur chemin parcouru par lui depuis la mort de Clémentine. Il n'avait pas voulu tuer Clémentine, prise à son propre piège. Il n'avait pas non plus voulu tuer l'Odile, ignorant qu'elle tournerait le dos à l'armoire ce soir-là. L'idée même d'écourter la plus humble vie – la vie éphémère d'un éphémère, le brillant dimanche d'un papillon – lui faisait horreur depuis l'enfance. Aux yeux de la loi, il n'en était pas moins devenu un assassin promis au couperet ou, mettons les choses au pire, à la prison perpétuelle. Qui reconnaîtrait sa bonne foi? entendrait ses protestations d'innocence? Deux femmes – lui inspirant affection et amitié – étaient mortes par sa faute, et voici qu'une troisième, non moins aimable mais tout aussi sotte, cherchait, à son tour, à le perdre...

– Seigneur, inspirez-moi! pria l'assassin, son rapide signe de croix passant inaperçu dans le noir.

Le guéridon, entre-temps, s'était animé, battant le parquet avec une régularité de métronome.

L'assassin, par pur instinct de conservation, le freina d'un pied adroit, puis, l'initiale de son nom dépassée, réussit, toujours du pied, à lui imprimer une nouvelle impulsion.

– X-Y-Z, épela l'Amadou, interdite, tandis que le meuble, déséquilibré, poursuivait une stérile dictée.

Fausse alerte, chacun en convint à part soi, alors que le juge de paix l'exprimait à voix haute.

– Reposez la question, mon petit! dit-il à l'intention d'Amadou, rejetant toute prudence. (L'assistance tout entière avait les yeux sur lui.) Frappez un coup par lettre, partez de A...

L'Amadou, comme feu l'Odile dans des circonstances analogues, sentit la mauvaise sueur tremper son linge. Une cloche, dont elle était seule à percevoir les sourds battements, la mettait en garde contre un pressant danger. Non, c'était bêtise, qui aurait voulu du mal à la pauv'e Amadou?

– Touzou là, Mame Clémentine? zézaya-t-elle courageusement. Missié le Zuge tient savoi'quil homme vous avez 'eçu dans vot'e chambre li soi' de vot'e mo't. F'appez un coup pa' lett'e, pa'tez de A...

L'assassin poussa un bruyant soupir. Allait-il se laisser désigner du doigt comme une bête condamnée, accepter, sans lutte, un injuste châtiment?

Sans doute tout ceci n'était-il qu'une triste comédie et l'Amadou ignorait-elle tout, en dépit de ses recettes natales, du langage des morts? Sans doute le guéridon, ballotté par forces et courants contraires, n'était-il pas plus inspiré? Personne n'en pouvait néanmoins répondre et il n'est de pire conseillère que la peur.

— Seigneu', pa' pitié! cria l'Amadou.

Impossible de s'y tromper : le Grand Oupapaou, quoique mortifié dans son orgueil, étendait sur elle son ombre maléfique.

— Seigneu', aïe, aïe, aïe! répéta-t-elle, se jetant en avant à corps perdu et culbutant avec le guéridon qu'elle repoussait du ventre et des genoux.

C'est à ce moment même que l'énorme suspension aux pendeloques de verre se détacha du plafond comme craque une branche morte et la coiffa d'un sanglant diadème.

— Survivra-t-elle? s'inquiéta le juge de paix d'une voix sans timbre.

La lumière, revenue trop tard, donnait à la chambre chinoise et ses occupants l'équivoque apparence d'un cabinet de figures de cire.

Livide, le Dr Gabrielle secoua la tête.

— Rupture des vertèbres cervicales, mort instantanée, diagnostiqua-t-il, soulagé. Feu Clémentine paraît rechercher la compagnie.

L'arme du crime fut découverte dans les cinq minutes qui suivirent, Mme Adèle ayant mis fortuitement le pied dessus.

C'était une canne de bambou à bec d'argent

courbe, encore accrochée à l'une des maîtresses branches de la vétuste suspension.

Une canne – les suspects en protestèrent unanimement – qui n'appartenait à personne et qu'ils voyaient pour la première fois.

Vers 10 heures, les suspects et l'assassin, sous le coup d'une même émotion, continuaient d'errer sur les lieux du (second) crime, se demandant quoi faire pour bien faire, quand surgirent deux jeunes énergumènes entrés sans frapper, portant pardessus-ourson et casquettes plates. L'un brandissait un bloc-notes vierge, l'autre véhiculait un appareil photographique perfectionné.

– Gardez la pose! s'écria jovialement ce dernier, bloquant la porte avec la complicitié de son compère. Je prends un instantané!

On l'apprit peu après : c'étaient deux journalistes du chef-lieu, chargés de broder sur la mort de l'Odile et qui avaient pris quelque retard en chemin.

La photographie devait paraître, le surlendemain, dans la page locale du *Bon Républicain*. On y voyait les enquêteurs, tant officiels qu'officieux, sourire avec complaisance à l'objectif, Roland Dunoyau méditer sur son deuil, Mme Adèle se redresser tardivement le chignon, et quatre dos prêtant également front au soupçon.

XIV

INTERMÈDE SCOLAIRE (II)

– Élève Vorobeïtchik, que faites-vous derrière cet arbre?

– Rien de spécial, monsieur.

– Vous ne participez pas aux ébats de vos petits camarades?

– Non, monsieur, pas pour l'instant.

– Vous sentiriez-vous, par extraordinaire, fatigué?

– Plutôt déprimé, monsieur.

– Voyez-vous cela! Que dissimulez-vous dans votre dos? Donnez. Tiens, tiens, un nouvel exemplaire du *Bon Républicain*! Ainsi la punition que je vous ai infligée l'autre jour est demeurée sans effet? Vous récidivez?

– « Récidivez », monsieur? Je ne saisis pas.

– Vous le devriez, à votre âge! Voyons, de vous à moi, d'où vient que vous vous intéressiez tant aux gazettes depuis quinze jours? En liriez-vous les éditoriaux?

– Non, monsieur, c'est trop avancé pour moi.

– Alors quoi? Les faits divers, naturellement, comme je l'appréhende depuis le début.

– Euh... Non, monsieur. Seulement ce qu'on raconte sur « Le mystère du grand 13 ».

– Par exemple! Et que savez-vous du « grand 13 »?

– Je... Je sais que c'est une maison bien fermée,

comme un internat, que quelqu'un y a tué deux pensionnaires.

– Où avez-vous été chercher cela?

– De ma chambre, le soir, j'entends papa et maman qui causent... Des fois j'écoute, ça m'en apprend... Papa dit que le juge de paix et le capitaine de gendarmerie comptent sur lui pour les aider à trouver l'assassin inconnu, faire triompher la Justice... J'aimerais donner un coup de main à papa...

– Noble ambition! Et comment comptez-vous vous y prendre?

– Là, monsieur, vous m'en demandez trop! Je me tâte.

– Serait-ce une insolence?

– Non, parole! Je vous dis tout.

– Fort bien. Vous passerez deux heures en retenue, m'écrirez cinq cents fois : « Je ne suis pas en âge d'aider la Justice, je suis en âge de la subir ». Et vous ferez signer ce pensum par monsieur votre père.

– Ça va fâcher papa, monsieur.

– J'y compte bien, mon jeune ami! Je compte aussi qu'il vous corrigera en conséquence.

– Voire, monsieur! Peut-être aussi qu'il me changera d'école. Papa vous trouve efficace. « Efficace, mais lassant », comme il disait à maman avant-hier soir. « Tel est l'ennui avec ces pédagogues de province... » C'est toujours papa qui parle, remarquez, pas moi! « Ils se prennent, tous, pour des Fénelon! »

– Elève Vorobeïtchik! Chercheriez-vous à être traduit devant un conseil de discipline?

– Moi, monsieur? Je cherche rien. Ça serait plutôt vous qui me cherchez.

– Fort bien, brisons là! Vous ferez savoir à monsieur votre père – dont j'ai peine à croire qu'il ait tenu pareils propos – que je l'attendrai demain soir, à mon propre domicile 12, rue d'Allemagne afin de débattre avec lui de votre avenir. Regagnez sur-le-champ votre pupitre.

– Bien, monsieur, je le dirai à papa, quoique ça m'étonnerait qu'il vienne à cette heure-là.

– « Vînt » et non pas « vienne », vous recourez à l'imparfait du subjonctif! Et pourquoi, je vous prie, monsieur votre père ne se rendrait-il pas à mon invitation?

– Dame, papa, à cette heure-là, est au « grand 13 » comme tous les soirs, collaborant avec la Justice! Vous me rendez le journal? Je n'ai pas tout lu.

Elève doué, mais laissant paraître de fâcheux penchants, devait écrire M. Menu de sa menue écriture sur le bulletin hebdomadaire du jeune Wenceslas. *Se montre rebelle à toute discipline et remontrance. Est naturellement insolent. Ecoute aux portes. S'adonne à des lectures qui ne sont pas de son âge, dont celle du* Bon Républicain. *Devrait être rigoureusement mené.*

La réponse ne se fit pas attendre. Elle prit la double forme d'une cravate-plastron couchée dans un douillet lit de papier de soie et d'une lettre oblongue couleur miel.

Monsieur le Professeur, y avait écrit M. Wens senior d'une écriture dispendieuse venant à bout d'une page en trois lignes.

J'ai été fâché d'apprendre que mon fils lisait le Bon Républicain *en cachette.*

Dès demain il lira ouvertement L'Impérialiste.

Paternellement et politiquement vôtre.

« Civil, mais désinvolte », estima, à part soi, M. Menu.

XV

LE VEUF EN CAMPAGNE

Parce que M. Survenant, juge d'instruction, répugnait à enquêter loin du chef-lieu, n'en allez pas déduire qu'il n'enquêtât pas.

Loin de là, dès que lui fut rapportée la triste fin de l'Amadou, il commença par s'en prendre au juge de paix et au capitaine de gendarmerie, vitupérant leur incroyable légèreté et leur autoritarisme criminel. Autre chose! M. Survenant s'en avisait tardivement, mais mieux vaut tard que jamais : si le capitaine Belarmand n'était entré au « grand 13 » qu'après consommation du premier crime, celui de l'Odile, le juge de paix, lui, s'y trouvait depuis un fameux moment, mélangé aux autres suspects, et n'échappant aux soupçons qu'en raison de ses fonctions de magistrat, n'allons pas l'oublier! M. Giacobi, proprement outré, voulut protester, mais cela ne fit qu'exciter M. Survenant qui parlait plus haut. Sans désemparer, il résolut de poursuivre M. Sénéchal pour trois chefs : obstruction à la justice, faux témoignage et commerce illicite de poisons. Après quoi, toujours sous l'aiguillon d'une colère qui ne trouvait pas à s'assouvir, il multiplia les citations à comparaître, interrogea l'ex-servante des Dunoyau, la Félicité, jusqu'à épuisement mutuel, harcela des cochers de fiacre qui n'en pouvaient mais, cuisina avec une rigueur accrue par l'échec la couturière qui habillait feu Clémentine, la modiste qui la chapeautait, la corsetière qui la corsetait, le chausseur qui la chaussait, le coiffeur qui la blondissait, toutes innocentes gens comprenant mal ce qui leur arrivait et protestant avec une même apparence de bonne foi que feu Mme Dunoyau ne leur faisait pas de confidences. « Fort bien! » dit acidement M. Survenant au juge de paix et au capitaine de gendarmerie qui ne pipaient plus depuis longtemps. « Vous m'enverrez ces demoiselles! » Il les tourna et retourna sur le gril pendant des heures, leur arrachant les détails les plus incongrus et les plus épicés sur la façon dont elles contentaient ces messieurs, les exigences hors nature manifestées par certains d'entre eux et leurs propres réactions sensorielles, les chassant finalement de son cabinet, sanglotantes et dépeignées. Ces demoiselles renvoyées, il s'en prit à Mme Adèle, leur mère à toutes, et cela lui coûta la journée sans que l'enquête progressât d'une ligne. Un autre, moins résistant, eût déclaré forfait ou passé le dimanche à taquiner le gardon. M. Survenant, dès le lundi matin, en

revenait aux « habitués du samedi soir », trop longtemps négligés, traitant chacun d'entre eux comme
s'il fût notoirement le coupable. Une telle attitude
lui valut quelques rebuffades et camouflets – de la
part de M. Vorobeïtchik, entre autres, prompt à la
repartie pour un cosaque – dont Mme Survenant,
au déclin de ces harassantes journées, était la
première à pâtir. M. Survenant, pour sa part, en
perdait le boire et le manger, tendait chaque nuit en
rêve des pièges qui l'empêchaient de bien dormir et
où personne ne s'était pris au réveil. En fin de
semaine et quelque gros cœur qu'il en eût, il dut le
confesser à son miroir : le cycle était fermé, il avait
épuisé tous ses tours. Tous, sauf un! M. Giacobi et
le capitaine Belarmand, convoqués d'urgence, se
virent intimer l'ordre de réussir là où il avait
échoué – tels ne furent pas, à vrai dire, ses propres
termes – et de lui livrer l'assassin dans les huit
jours, faute d'être amenés à répondre de leur inca-
pacité devant Qui-De-Droit. Adieu, messieurs!

Alors que M. Survenant s'agitait de la sorte sous
la coupole du palais de justice, comme une épeire
qui choisirait ses mouches, alors que M. Giacobi et
le capitaine Belarmand fréquentaient « le grand
13 » avec une assiduité dont ils eussent rougi en
temps normal, alors que la presse régionale réservait quotidiennement une colonne de première page
au « Mystère de la rue des Cultes », alors que
l'assassin et les suspects éprouvaient les mêmes
douloureux retours de conscience, ou peu s'en faut,
Roland Dunoyau, faisant cavalier seul sans en rien
dire à personne, poursuivait sa propre enquête,

enquête facilitée par le fait qu'il ne recherchait pas, lui, l'assassin de l'Odile et de l'Amadou, mais le seul nom du suborneur par la faute de qui sa chère Clémentine s'était jetée dans la mort...

Tout comme M. Survenant, mais prenant plus de peine, il réinterrogea en premier la Félicité dans son mas haut perché, gercé par les quatre vents, où elle se nourrissait chichement de blettes et de courges, allait chercher l'eau au puits et posait ses lunettes à monture de laiton sur son journal large ouvert dès que l'Estérel venait à lui cacher le soleil. La vieille servante – vieillissant aujourd'hui d'autant plus vite qu'elle ne voyait plus de jeunesses – paraissait heureuse qu'on la vînt visiter. Pour sûr qu'elle gardait bon appétit et bonne mémoire! Alléché, Roland Dunoyau se répandit en soins filiaux, lui avançant le fauteuil, lui rapportant les pantoufles, lui sucrant le café. La Félicité laissait faire, riant de la dent, boudant de l'œil. « Les grands-mères en remontreraient aux bourriques, les sourdes à l'ânier », dit-on dans le pays. La Félicité valait, à elle toute seule, deux dictons. En vain le veuf, recourant à un patois châtié, devait-il s'adresser à sa raison défaillante, parler fort. Autant frapper au portail d'une maison vide...

Déçu par la Félicité, Roland Dunoyau – continuant de singer les Survenant sans le savoir – en revint aux épiciers dont il arrondissait l'actif depuis de longues années, les cochers de fiacre – encore eux! – que feu Clémentine appelait impulsivement par leurs prénoms, Olive par-ci, César par-là, le rémouleur chargé de famille qui venait une fois la semaine affûter ses couteaux, le poissonnier qui lui réservait ses plus belles langoustines, le rempailleur de chaises piémontais qui, tout en cassant la croûte sous l'auvent d'en face, chantait opiniâtrement : « *Zé té rencontré (e) simplement, Et tou n'as rien fait pour chercher à me plaire* », le beau chiffonnier qui remontait la rue en se prenant régulièrement le pied dans un flot de valenciennes fanées... Peine perdue ! Tous, demeurant fidèles à la femme de leur vie, semblaient être devenus tout à la fois sourds et muets.

Roland Dunoyau, quoi qu'il eût prétendu, n'avait pas détruit le journal intime de feu Clémentine, lequel attisait sa haine. C'est en le relisant qu'une idée le frappa. La route suivie par feu Clémentine et le sentier-voleur emprunté par l'assassin s'étaient à tout le moins croisés par deux fois : la première fois « dans une sombre ruelle d'Aix, trop étroite pour deux », la seconde fois « sous les pins de Collobrières bleuis par l'orage ». Quoi d'impossible à ce que l'un des suspects eût dès lors habité, dans le passé, l'un ou l'autre de ces deux endroits, qu'une simple désignation de domicile suffît à lui arracher le masque ?

Roland Dunoyau commença par se rendre à Aix où, secrètement blessé par la nocturne exubérance de ses étudiants et laborantines, il passa trois interminables journées à épousseter les registres de la population, s'achetant finalement un revolver chargé pour n'en pas repartir bredouille. Il redescendit ensuite sur Collobrières – chef-lieu de canton (Var), arrondissement de Toulon, mille soixante habitants, à quelques âmes près – où l'examen des registres, trois fois moins gros, ne lui prit que la matinée mais lui laissa d'autant plus de temps pour se meurtrir au bleu du ciel, aux odeurs dévalant de la montagne et aux fantômes enlacés se promenant sous le vert tunnel des pins.

Roland Dunoyau reprit un autre train, changea deux fois de direction dans des gares désertes et réintégra relctomont à la brune une maison frileu où il n'était pas attendu.

Cela faisait un moment qu'on lui envoyait, de Paris et d'ailleurs, sur sa demande expresse, des revues et périodiques traitant de sciences occultes. Tombée de la boîte aux lettres, la dernière livraison l'attendait sur le carrelage losangé du vestibule. Il en fit sauter la bande, lut un paragraphe de-ci de-là. A vrai dire, ces textes obscurs, émaillés d'expressions hors dictionnaire, lui apprenaient peu de chose. N'interroge pas les morts qui veut : il y faut une longue pratique ou des dons innés. Chaque brochure nouvelle lui apportait un nouvel espoir avant qu'il l'eût feuilletée, une déconvenue de plus quand il la chiffonnait, n'y ayant rien compris...

C'est néanmoins par ce détour que devait lui venir l'inspiration.

XVI

EN TOUTE INNOCENCE (II)

— Miséricorde! fit l'abbé Mitre, se signant.
Dans l'ombre du confessionnal, son visage ordi-

nairement réjoui avait pris une teinte crayeuse tandis qu'une goutte de sueur traçait un luisant sillon de son front dégarni à son menton tremblant.

– Miséricorde! répéta-t-il, atterré. Ainsi, mon fils, vous en êtes là?

L'assassin inclina lentement la tête. Cela faisait des jours et des jours qu'il éprouvait l'impérieux besoin de se confier à quelqu'un. Mais à qui se confier sans se vendre? Il avait finalement résolu de se confier à Dieu.

– A vos yeux, suis-je vraiment un assassin, mon père? questionna-t-il d'une voix pressante.

L'abbé Mitre, pris de court, répondit à cette question par une autre question :

– L'intention prime l'acte au regard de l'Eglise. Répondez-moi donc en toute sincérité, mon fils. Quand vous avez poussé l'armoire et tiré sur la suspension, méditiez-vous de tuer?

– Non, sur mon âme! dit sourdement l'assassin. Je ne voulais qu'interrompre, sans penser plus loin, des révélations, fausses ou sincères, de nature à semer chez des innocents le doute et le chagrin. J'ignorais, en toute bonne fois, que l'Odile tournât le dos à l'armoire ce soir-là, que l'Amadou se précipiterait en avant au lieu de repousser sa chaise. J'irai plus loin. Quand je me reporte par la pensée à ces tragiques moments, j'éprouve la terrifiante sensation qu'une force inconnue – et... oui, surnaturelle – s'est adjointe à la mienne, consommant l'irréparable... Inutile de vous dire, je pense, que la petite fille de l'Odile sera richement dotée, cela dût-il me ruiner. Quant à l'Amadou, en dépit de mes recherches, je ne lui ai découvert jusqu'ici ni parents ni amis : c'est loin, Belle Fontaine... Mon père, je vous le demande, que feriez-vous à ma place?

L'abbé Mitre se prit le front dans les mains :

– Quel que soit votre degré de responsabilité dans cette affaire, mon fils, vous vous devez de porter, seul, votre croix, de vous livrer à la justice des hommes... Mon absolution dépend de votre sincère repentir.

Au-dessus de leurs deux têtes rapprochées, l'Agnès, la plus lourde cloche de Saint-Joseph, commençait d'appeler les fidèles à vêpres et complies.

– Je prévoyais une telle réponse, mon père, dit l'assassin, et m'y suis préparé. Deux humbles filles sont effectivement mortes par ma faute, sinon par ma volonté, mais Dieu aura pardonné à leurs égarements. Vous me conseillez d'avouer? Cela ne les ressusciterait pas pour autant et je doute qu'elles y tiennent. Ce dont je suis malheureusement sûr, c'est qu'une telle confession ruinerait le bonheur des miens, donnerait le coup de grâce à un moribond, l'inciterait, qui sait? à attenter à ma vie et à devenir ainsi un *vrai* criminel... Je vous repose donc la question, mon père : que feriez-vous à ma place?

D'aussi loin qu'il se souvînt, l'abbé Mitre n'avait jamais eu à trancher un tel dilemme.

– Je... Je pourrais peut-être, à condition que vous m'y autorisiez, en référer à monseigneur l'évêque, lui exposer le cas, sans citer votre nom, cela va sans dire! bredouilla-t-il, s'essuyant le front du dos de la main. Revenez me voir, mon fils. Nous en reparlerons.

L'assassin parut prêter l'oreille aux derniers battements de la cloche.

– Inutile, mon père! dit-il d'une voix nette. Vous ne pouvez plus rien pour moi, mon choix est fait. Je mourrai sans absolution.

L'abbé Mitre protesta faiblement :

– Vous péchez par orgueil, mon fils!

– N'est-ce pas mieux ainsi? dit l'assassin. Au nom du Père, du Fils et du Saint-Esprit, Ainsi soit-il!

Ce même soir, Mme Adèle dut reconnaître à part soi que Mireille, Sabine, Fifi et Olga, débordées, se fanaient sur tige.

Par chance, Mme Adèle savait quoi faire.

S'installant à son petit secrétaire en marqueterie, elle se prit une feuille de son beau papier parme, une plume-ballon neuve, un bout de buvard qui retiendrait la sueur du poignet, et, comme chaque fois qu'elle devait écrire une lettre, se mit en train en commençant par en libeller l'adresse : *M. Lecoutellier, Bureau de Placement Modèle, Rue Gambetta, Marseille (B. du Rh.).*

L'inspiration lui vint ensuite tout naturellement :

Cher Monsieur Lecoutellier...

(A vrai dire, elle ne connaissait pas autrement son correspondant, ne lui donnait du « cher » monsieur que dans l'espoir qu'il fût moins coûteux.)

Vous me voyé dans l'ambarras. J'ai besoin de deux ou trois filles de suite que je vous payeré, çelon l'usage, dès réception.

Vous connaiçé ma maison de réputation et par feu

M. Albert qui vous aimé bien. Ma maison est frécantée par une clientelle bourjoise. Tennez-zen conte.

Ne m'envoyé pas de normandes et pas de bretonnes, elles ne vous causent que des annuis.

Faite vite, je vous prie, car la demande dépasse – largement – l'offre. Au cas que les intéréçées ne conviénarait pas, je vous les renverré dès que possible, comme d'usage, à frais partagé et en troisième classe.

Votre bien dévouée

(s.) Mme Adèle (veuve Albert).

P.S. – Faites que les filles soit propres et sènes (souligné).

Ne m'anvoyé pas de spirittes.

(s.) Adèle.

XVII

« MALADIE D'AMOU'... »

Ils étaient quatre, parmi les familiers du samedi soir, qui avaient joui des faveurs extra-conjugales de feu Clémentine.

Le premier pensait :

« Nous nous sommes aimés peu de jours, blessés, déchirés durant des semaines. D'où vient dès lors que son souvenir me pourchasse, que je revive journellement chaque phase de notre brève rencontre? D'où vient que je réentende son rire comme s'il éclatait dans mon dos, d'où vient que son parfum poivré se fasse sentir dans un coup de vent ou l'haleine d'un bouquet, d'où vient qu'elle remonte à la surface des miroirs comme une blanche noyée? Quand la haine, soufflant sur un amour déclinant, fit de nous des ennemis plus proches que des amants, je commençai d'avoir peur d'elle, des ciseaux courbes qu'elle cachait dans son réticule, de l'épingle à chapeau qu'elle aimait appuyer contre son index ou le mien jusqu'à en tirer une goutte de sang, des sombres menaces qu'elle proférait d'une voix enjouée et dont ma femme, à l'en croire, serait la première victime. Continuerais-je d'avoir peur d'elle? En aurais-je, Dieu sait, plus peur qu'avant? Le mal qu'elle pouvait faire alors, elle peut encore le faire aujourd'hui. Non plus en écrivant une lettre anonyme ou en allant se jeter aux pieds de ma femme pour quémander un hypocrite pardon, mais en frappant mon nom sur le parquet, lettre par lettre, me désignant à une injuste vengeance... »

Le premier des quatre se retourna vivement, croyant qu'on marchait dans la pièce. Personne.

Il avait épousé sa femme par amour, quoi qu'on dît dans le pays, s'attendrissait encore, après dix ans de mariage, en la regardant dormir.

« Seigneur, il est des morts qu'il faut qu'on tue! » conclut-il, atterré.

Mais *comment tuer une morte?*

« La poison, il était inutile qu'elle dégrafât son corsage pour me faire voir ses amygdales! pensait le deuxième. J'ignorais jusqu'alors passion et tourment. Dans l'heure elle m'a révélé l'une et l'autre... Que peut-elle aujourd'hui contre moi? Rien. Elle est morte, bien morte, quoique déterrée, ne fera plus de tort à personne. Voire! Que sait-on de la survie, des âmes en peine?... Qu'en savaient secrètement l'Odile, cette rouée ignorante, et la sombre Amadou?... Plus j'y pense, moins j'en doute : toute mon insensée conduite a été inspirée par la peur, une pour panique, gluee, mollemine la plre ils s mannil... Quelle sottise que d'avoir fait basculer l'armoire, tomber la suspension! Réussirais-je aujourd'hui à faire s'effondrer le toit que Clémentine – c'est couru, elle est femme – n'en aurait pas moins le dernier mot! »

« L'ai-je aimée, je me le demande! se demandait le troisième. Sur le moment j'aurais juré que oui, sur ma part de paradis... Cette façon qu'elle avait de me tendre ses bottines à lacer, de fredonner : « Ça s'fait pas... », cils en l'air, quand je me trompais d'œillet. Cette façon qu'elle avait de se pendre à mon cou, gigotant du mollet pour faire mousser ses dessous. Cette façon qu'elle avait de chuchoter, fermant les yeux par avance et fronçant le nez : « Embrasse-moi fort! » pour conclure tôt ou tard : « C'était pas tellement fort! » Cette façon qu'elle avait de dévaler l'escalier en sautant deux marches, toujours les deux mêmes marches, pour me donner un choc au cœur! Cette habitude qu'elle avait de laisser traîner quelque brimborion – mouchoir, gant, jarretière – m'obligeant à penser à elle jusqu'au prochain jeudi... L'ai-je aimée, je me le demande! Aujourd'hui je jurerais que non, sur ma part de paradis. Je ne voulais toucher ni son cœur ni son âme, je n'aimais que toucher sa douce peau... Mais cela, quelle épouse éprise viendrait à le comprendre et le pardonner? »

« Le jour que je l'ai quittée, je ne croyais pas lui faire tant de mal! pensait – amèrement – le dernier des quatre. Elle excitait ma jalousie par les ruses les plus grossières, mais il est un âge où l'on donne dans tous les pièges. Elle contrariait mes ambitions, mes goûts. Elle voulait que je fusse son esclave, espérant secrètement être battue. Elle détestait l'image que je me faisais d'elle, la trouvant peu ressemblante, mais se refusait à y apporter la moindre retouche alors que cela m'eût transporté de bonheur. Elle me reprochait de ne songer qu'à la chiffonner chaque fois que je l'enfermais dans mes bras, mais moquait ma froideur si je laissais passer l'heure sans lui parler d'amour. Pauvre chère Clémentine, farouche, effrontée, lucide, sotte, dure, tendre, tellement femme!... Le jour que je l'ai quittée – elle prétendait m'apprendre à danser la matchiche – je ne lui en préférais aucune autre, ne voulais que passer de durs examens, redevenir moi-même, refaire des fleurs en papier... Elle me tournait le dos, peignait ses longs cheveux... Elle n'a pas poussé le moindre cri. Si bas qu'elle l'eût poussé, je l'aurais entendu... »

A tout prendre, des quatre, c'était encore l'assassin qui s'inquiétait le moins.

Il se savait condamné, jouissait de son dernier octobre.

XVIII

LES DEUX FAUTEUILS

Le train de Marseille, fatigué par le parcours venait d'entrer en gare de Saint-Florent et les occupants des wagons de tête, allant maintenant plus vite que la locomotive, commençaient de se presser au portillon de sortie.

Le médium – étroit et blême quinquagénaire aux moustaches tombantes, battant de la paupière comme un oiseau de nuit, vêtu d'un ulster un peu juste et coiffé jusqu'aux sourcils d'un chapeau rond à bords retournés – s'y présenta parmi les derniers. Il était accompagné par une femme plus jeune et plus grande que lui, vêtue de vert, à la chevelure torsadée d'un noir corbeau et à l'œil charbonneux.

Roland Dunoyau – en dépit de l'autosignalement fourni par son correspondant dans sa lettre de l'avant-veille et la serviette de maroquin grenat destinée à confirmer son identité – hésitait à l'aborder. Ce fut finalement l'autre qui se dirigea tout droit sur lui, leva son chapeau rond comme on ôte le bouchon d'une bouteille :

– M. Roland Dunoyau. (Il ne questionnait pas, exprimait une évidence.). Je suis le professeur Dupont-Masséna et voici Mlle Sibylle, mon meilleur sujet. Le train a pris quelque retard par suite d'une défaillance du mécanicien. Je doute qu'il passe l'année.

– Qui? questionna distraitement Roland Dunoyau, mal préparé à une telle prise de contact.

– Jules Juin, le mécanicien, rappela le Pr Dupont-Masséna avec une pointe d'impatience. Phtisie.

Roland Dunoyau se moquait de Jules Juin. Il n'en interrogea pas moins poliment :

– Par exemple! Il vous l'a dit?

– Non, il ne s'en doute pas, coupa le Pr Dupont-Masséna, sortant de la gare le premier et prenant à gauche, sans paraître se soucier autrement qu'on le suivît ou non.

Roland Dunoyau pressa le pas pour demeurer à sa hauteur. « Occulta » comparait bi-mensuellement le Pr Dupont-Masséna à un prêtre du soleil et insérait dans chacune de ses livraisons une curieuse photographie de lui, toujours la même, où, grandi par une longue robe de mage, il paraissait, de ses mains en équerre, marquer midi un quart – ou, plus probablement, minuit un quart – sur une énorme pendule illustrée par les signes du zodiaque, le Bélier remplaçant le chiffre un, le Taureau le chiffre deux, et ainsi de suite. *Vous qui êtes dans l'Indécision, écrivez-moi, je guiderai vos pas*, lisait-on au verso. *Vous qui êtes dans la Peine, écrivez-moi : je vous réconforterai. Vous qui avez perdu un Etre cher, écrivez-moi : je vous le renderrai (s.) Pr Dupont-Masséna, Expert en Sciences Occultes, Roi des Médiums.*

– Je... J'aime à croire que vous avez fait bon voyage? questionna Roland Dunoyau, histoire de parler.

Le professeur ne dit ni oui ni non. Apparemment

il était peu causant, à tout le moins quand il conversait avec les vivants.

– Nous rendons-nous chez vous? n'en questionna-t-il pas moins légèrement, quelque deux cents mètres plus loin, laissant la rue Neuve à sa droite et s'engageant, d'un pas sec et long, dans la rue Saint-Roch.

– Oui, je... J'ai pensé que vous voudriez prendre quelque repos et... et visiter la maison avant d'interroger Clémentine, bredouilla Roland Dunoyau. (Une idée le frappa.) Vous me paraissez bien connaître la ville?

Le Pr Dupont-Masséna secoua la tête tout en continuant de mener le train :

– J'y mets les pieds pour la première fois. Ne sommes-nous pas rendus?

– Non, mais nous approchons...

– N'est-ce pas là votre maison? J'en reconnais le belvédère.

– Pour que vous le reconnaissiez, il faut que vous l'ayez déjà vu! objecta Roland Dunoyau, admettant à part soi que « le prêtre du soleil », en dépit de son aspect éteint, paraissait tenir ses promesses.

Ce dernier considérait la porte d'entrée d'un œil méfiant, y promenait une main prudente.

– Vous vous trompez de clef, remarqua-t-il sans se retourner. Le pêne, jusqu'ici, jouait-il librement?

– Oui, neuf fois sur dix! en protesta Roland Dunoyau qui s'énervait. (Il donna vainement un tour de clef à gauche, un tour de clef à droite.) Peut-être la serrure a-t-elle besoin d'être graissée?

– Non, c'est la morte qui nous fait obstacle!

décida le Pr Dupont-Masséna, formel. Passez-moi votre trousseau, laissez-moi faire! (La porte s'ouvrit toute grande.) Tenez, elle était là! remarqua-t-il de sa voix curieusement dépourvue d'intonation. Voyez, elle se penche sur la rampe, court au second. Pas d'erreur, nous avons affaire à une coquette!

Il s'était avancé dans le hall d'entrée à pas mesurés, regardait en l'air en prenant soin de ne marcher que sur les losanges blancs du carrelage arlequin.

– Maison « habitée », conclut-il pour lui tout seul. Donnez-nous, je vous prie, quelque chose à manger. Moins que rien : des olives noires, un demi-poulet, un fromage ou un dessert. Mettez mon dû dans une enveloppe que vous glisserez dans ma serviette. Il arrive que les morts s'expriment méchamment et déçoivent leurs proches, nous privant ainsi d'un juste gain. J'imagine que la défunte préférait cette pièce d'angle à tout autre? Nous l'y questionnerons dès 8 heures. Disposez-y quatre bougies roses, quelques brimborions auxquels elle était attachée et revêtez la tenue que vous portiez généralement le soir, de son vivant. Il va sans dire que tout ceci n'est que comédie, mais les morts, de leur place de paradis, n'aiment rien tant qu'on leur donne la comédie. Nous autres, médiums, comptons là-dessus pour les amener à composition... Un souper frugal, préparez l'enveloppe, quatre bougies roses, séance à 8 heures! résuma le Pr Dupont-Masséna sans accent tonique. Je compte repartir, demain matin, par le train de 9 h 9.

Huit heures sonnaient quand le professeur Dupont-Masséna réclama un négligé de feu Clémentine et aida Mlle Sibylle à en couvrir sa robe verte avec la solennité d'un vieil enfant de chœur passant l'étole au prêtre avant la messe.

– Mlle Sibylle va s'asseoir là où la défunte aimait s'asseoir, commenta-t-il de sa voix plate. D'ici dix minutes, *elle sera* Clémentine. C'est vous qui poserez les questions, moi qui les lui transmettrai, feu Clémentine qui nous repondra. Nous allons recourir à l'épreuve des deux fauteuils.

– L'épreuve des deux fauteuils? répéta Roland Dunoyau intrigué. C'est-à-dire?

Le Pr Dupont-Masséna ne paraissait pas autrement désireux de s'expliquer là-dessus. Il le fit en peu de mots :

– Le sujet réceptif – en l'occurrence Mlle Sibylle – prend place dans un fauteuil que j'appellerai le fauteuil numéro un, lequel fera face à un autre fauteuil, vide, que j'appellerai le fauteuil numéro deux, distant du premier de quelque cinquante centimètres. Le mage – en l'occurrence votre serviteur – hypnotise le sujet et sépare par la pensée son corps physique, matériel, visible, de son « prana » – « prana », en sanscrit, signifie souffle, respiration – projetant celui-ci sur l'autre siège. Dès ce moment, le sujet, ou médium, entièrement disponible, n'attend plus que d'être « habité » par l'esprit avec qui l'on cherche à communiquer pour répondre par sa voix (1).

Roland Dunoyau avait écouté avec la plus vive attention :

(1) L'une des plus curieuses expériences psychiques connues à ce jour.

– Extraordinaire! Si je vous ai bien suivi, vous vous proposez de dédoubler Mlle Sibylle?

– En quelque sorte. Remarquez que les deux sujets, le charnel et le psychique, demeureront attachés l'un à l'autre durant toute la durée de l'épreuve par une espèce de cordon ombilical assurant leur mutuelle survivance.

– Lequel, j'imagine, demeure invisible?

– Oui, pour le profane. Nous autres, mages, l'apercevons plus ou moins nettement, de même que nous distinguons le double pranaïque assis dans le fauteuil numéro deux. Le cordon prend généralement une couleur orangée et le double pranaïque ressemble trait pour trait au corps physique qu'il a quitté, à cette différence près qu'il paraît à l'observateur sensiblement plus grand.

Mlle Sibylle, muette jusque-là, poussa un léger soupir. Elle avait fermé les yeux, croisé ses maigres mains dans son giron.

– Ecartez-vous, ne dites plus rien, songez à votre défunte femme, appelez-la par la pensée, ordonna le Pr Dupont-Masséna. Vous poserez votre première question quand je lèverai la main gauche. Nous commençons.

Il avait ôté sa jaquette, remonté ses manches de chemise à la manière d'un prestidigitateur. Fût-ce une illusion due à l'éclairage trompeur? Lui-même, dans l'instant, parut grandir.

Le cœur battant comme une machine infernale, Roland Dunoyau, rentrant en soi-même, concentra ses pensées sur Clémentine, évoquant leurs rares heures de bonheur, sa triste mort, ses rires et ses ruses, l'adjurant de le prendre en pitié. Il avait fermé les yeux, sereinement indifférent à ce qui se passait en dehors de lui. Il savait par intuition que cette expérience serait obligatoirement la dernière et qu'un nouvel échec l'empêcherait à tout jamais de redevenir un homme comme les autres. Ses oreilles bourdonnaient, des étoiles multicolores dansaient sur sa rétine. Il ne vit même pas le Pr Dupont-Masséna lever la main (gauche).

– Parlez! dut chuchoter « le prêtre du soleil ». *La défunte est là.*

Roland Dunoyau rouvrit les yeux, se passa la main sur le front. Mlle Sibylle, comme entraînée en avant par le poids de sa tête penchée, le dos rond et les pieds ramenés sous son siège, paraissait avoir rétréci. Le Pr Dupont-Masséna avait les mains en équerre comme sur la photographie d'*Occulta*. Ils ne bougeaient ni l'un ni l'autre...

– De... Demandez-lui comment elle est morte, dit Roland Dunoyau sans plus réfléchir. Non, demandez-lui plutôt si elle s'est tuée...

– Je-ne-me-suis-pas-tuée, chuchota Mlle Sibylle avec ce léger zézayement dont feu Clémentine avait vainement cherché à se défaire jusqu'à son dernier jour.

– Poursuivez, enjoignit sèchement le Pr Dupont-Masséna.

Nouveau murmure indistinct :
– *Quelqu'un m'a tuée.*

Roland Dunoyau, malgré lui, sortit de l'ombre, mais le professeur l'y rejeta d'un geste impatient :
– Questionnez-la, faites vite!

Roland Dunoyau ne cessait de se répéter qu'il courait là sa dernière chance, qu'elle allait peut-être lui échapper. Son émotion était telle qu'il ne trouvait plus de mots. Il bredouilla :

– De... Demandez-lui le nom de l'homme qu'elle a reçu chez elle le soir même de sa mort. Demandez-lui si c'est cet homme qui l'a tuée et pourquoi.

Selon toute apparence, l'interrogatoire ne se développait pas comme l'avait espéré le Pr Dupont-Masséna ou, peut-être, avait-il quelque autre secret motif d'inquiétude ?

– Veuillez nous dire maintenant le nom de l'homme que vous avez reçu chez vous le soir même de votre mort, n'en répéta-t-il pas moins de sa voix sans inflexion, détachant chaque mot et considérant fixement le fauteuil numéro un à la hauteur de l'appui-tête. Veuillez nous dire si c'est cet homme qui vous a tuée et pourquoi.

« Le nom! *Qu'elle révèle seulement le nom!* » suppliait intérieurement Roland Dunoyau inondé de sueur.

Une pendule sonna la demie, un fiacre, allant trottinant, passa dans la rue, puis le silence retomba, plus dense que jamais.

– Elle... Elle n'est plus là ? s'inquiéta Roland Dunoyau avec la voix d'un autre. Faites-la parler avant qu'elle s'en aille, je vous en conjure !

Le Pr Dupont-Masséna demeura impassible. Son regard diligent sautait sans arrêt du fauteuil numéro un, où reposait l'inerte Sibylle, au fauteuil numéro deux où la lumière des bougies faisait courir des ombres étrangement contournées.

– Repose-lui la question, redemandez-lui le nom de l'homme! haletait Roland Dunoyau. Il faut que je sache!

Le Pr Dupont-Masséna reposa docilement la question.

– Veuillez nous dire le nom de l'homme que vous avez reçu chez vous le soir même de votre mort. Veuillez nous dire si c'est cet homme qui vous a tuée.

Une bougie s'éteignit en grésillant

Et c'est alors, quand tout paraissait perdu, que feu Clémentine, empruntant la voix terne de Mlle Sibylle, *prononça distinctement le nom.*

XIX

QUESTION DE VIE OU DE MORT

Roland Dunoyau courait déjà vers la porte quand le Pr Dupont-Masséna chercha à le retenir : rien ne prouvait que l'expérience fût terminée, que feu Clémentine eût dit tout ce qu'elle savait.

Roland Dunoyau fit le sourd : peut-être feu Clémentine n'avait-elle pas effectivement *tout* dit, mais, de son point de vue de veuf jaloux, elle n'en avait que *trop* dit.

A tout prendre, il est plus facile de faire parler un vivant qu'une morte, et il savait maintenant quel vivant faire parler.

– A cette heure, le maître, je vais pas le déranger! objecta la vieille servante. Y s'est enfermé.

Roland Dunoyau, d'une main tremblante, prit une carte de visite dans son portefeuille :

– Fort bien, portez-lui ceci. Dites-lui qu'il s'agit d'une question de vie ou de mort.

La vieille servante – double fidèle de la Félicité – considéra le bristol avec méfiance :

– Té, et pourquoi donc! Le maître, quand y travaille, y se ressemble plus. Vous diriez un autre homme que les six autres jours de la semaine!

Roland Dunoyau rongeait son frein. Un si frêle obstacle, si vétuste! Il redoubla d'autorité :

– Allez-y, vite... ou c'est moi qui y vais!

La vieille, quoique ébranlée, hésitait encore :

– Vous pourriez pas plutôt repasser, ou vous arranger avec Madame?... Non?... *Allora*, vous, on peut dire que vous vous les cherchez, les ennuis!... Tenez, entrez là, patientez un moment... Je suis pas sûre que les choses tournent comme vous voudriez...

En fait, Roland Dunoyau ne patienta que cinq courtes minutes.

– Bonsoir, mon cher! fit soudain une voix joviale dans son dos comme une haute silhouette apparaissait au seuil de l'antichambre. Attendez que je monte le gaz, on n'y voit goutte. Rien de cassé, j'espère? Que puis-je pour vous?

Roland Dunoyau attendit, pour parler, que son hôte eût donné plus de lumière et refermé la porte.

– Peu de chose, dit-il d'une voix nette. (Encore qu'il n'eût pas préparé ses phrases, elles lui venaient tout naturellement. Il prit un temps.) Répondre loyalement à quatre ou cinq questions...

pour autant, il va sans dire, qu'un abject voleur de cœurs puisse témoigner de la moindre loyauté.

L'autre recula d'un demi-pas comme s'il venait de recevoir un soufflet :

– Chercheriez-vous à m'insulter?

– Cela me paraissait chose faite.

Séparés par une petite table couverte d'illustrés, les deux hommes se regardaient, comme chien et mulot. Un observateur non prévenu aurait pu prendre Roland Dunoyau, assis à l'extrême bord de sa chaise, son chapeau sur les genoux, pour quelque humble solliciteur, et son interlocuteur, qui le dominait de toute sa taille dans une riche robe de chambre, pour un homme excédé par de sottes propositions.

– En ce cas, relança ce dernier, vous ne serez pas autrement étonné si je vous prie de prendre la porte?

– Nullement étonné, je m'y attendais, dit le premier. Mais je n'en ferai rien.

Un tel défi parut amuser le maître de céans.

– L'expulsion des indésirables est une tâche qui incombe d'ordinaire aux laquais, reprit-il d'un ton coupant. Mon train de vie m'interdit d'entretenir un nombreux domestique, mais non de consacrer mes loisirs à la culture physique. Je répugnerais à vous en administrer la preuve. Apprenez néanmoins, pour votre gouverne, que je pratique couramment boxe et savate.

Roland Dunoyau hocha la tête :

– Je me le suis laissé dire. Apprenez, à votre tour, que, si je ne tire pas la savate, je sais tirer au pistolet. (Il avait soulevé son chapeau à la façon d'un joueur de bonneteau.) Spécialement avec ce modèle dont le maniement m'est devenu familier.

L'homme en robe de chambre de soie, demeuré debout jusque-là, s'assit pesamment de l'autre côté de la petite table. Il prétendait reconnaître un fou dangereux du premier coup d'œil, pensait à sa femme et ses enfants.

– Quand et où l'avez-vous acheté? questionna-t-il d'une voix blanche, étonné tout le premier de s'entendre poser une telle question en un tel moment.

– Récemment, à Aix, dit Roland Dunoyau. Cela fait des mois que je médite de commettre un crime, expliqua-t-il avec une subite complaisance, une semaine environ que j'ai arrêté le choix de l'arme, moins d'une heure que je sais qui tuer... Vous.

– Le pistolet est expéditif, reconnut l'homme en robe de chambre. Considérez néanmoins qu'il détone, alerte les voisins. Je serais de vous, je lui aurais préféré l'arc ou la sarbacane...

Il recourait d'instinct à une parade éprouvée, l'ironie, par malheur inefficace en l'occurrence.

Roland Dunoyau, le regard en dessous, l'index sur la gâchette de son F.N., lui accordait la dédaigneuse attention qu'on prête à un mauvais numéro de clown.

– Première question, fit-il d'une voix posée, ne trahissant plus la moindre excitation. Avez-vous été l'amant de ma femme?

L'autre ne balança qu'un instant. A quoi bon nier quand le premier autochtone venu pouvait jouer les témoins à charge?

– Oui... Comme tout le monde! ajouta-t-il sans

méchanceté, cherchant moins à blesser le veuf qu'à lui dessiller tardivement les yeux.

– Quand?

– Cela remonte à des années.

– Clémentine portait-elle déjà mon nom?

– Je... Je crains que oui.

– Peu vous importait donc de prendre la femme d'un autre?

– Dès l'instant qu'elle se donnait, elle n'appartenait à personne et je... N'allez pas vous fâcher, mais je vous dois cette précision : elle pleurait avant, pendant, après! A l'en croire, elle avait vainement cherché le bonheur avec vous, n'était pas plus heureuse avec moi, demeurait attachée à de lointains souvenirs...

– Quels souvenirs?

– De tristes souvenirs, j'imagine. Les plus tenaces.

– Lui avez-vous rendu visite le soir de sa mort?

– O... ui, sur sa pressante invitation.

– A quelle heure?

– Vers 8 heures, 8 heures et demie. Elle éprouvait le besoin de s'épancher, d'être consolée de je ne sais trop quoi. Quand je l'ai quittée, avant 9 heures, elle essayait un nouveau chapeau.

– En bref, vous plaidez non coupable, niez-vous l'avoir tuée?

– Tuée? Ne s'est-elle pas empoisonnée accidentellement?

– Non, quelqu'un l'a empoisonnée – je le tiens d'elle-même – et j'ai idée que c'est vous!

L'homme en robe de chambre ne quittait plus le pistolet des yeux.

133

– Je vous répète que j'ai laissé Clémentine avant 9 heures, protesta-t-il, faute de mieux, et que sa mort – l'état de décès en fait foi – remonte au petit matin.

– Un poison violent, fût-ce l'aconitine, n'agit pas nécessairement sur l'heure. Vous le savez mieux que quiconque.

– Sans doute, mais... (L'homme en robe de chambre chercha vainement l'argument décisif.) Pourquoi l'aurais-je tuée, je vous le demande? Nous n'étions plus amants à l'époque, commencions de devenir des amis...

– Peut-être... (Roland Dunoyau, rose de honte, parla contre son cœur, mais il était fermement résolu à sortir du tunnel et Clémentine, inutile de le nier, l'avait bien déçu depuis qu'elle était au cimetière.) Peut-être disposait-elle de quelque moyen de pression sur vous, méditait-elle de détruire votre ménage, ruiner votre avenir?

Pour la seconde fois l'homme en robe de chambre étala son jeu :

– Elle m'en avait effectivement menacé au début de notre liaison, mais l'orage était depuis longtemps passé.

Roland Dunoyau considéra fixement son pistolet qu'il dirigeait maintenant vers lui par inadvertance.

– Je ne vous crois pas! proféra-t-il d'une voix sourde, mal assurée. Vous mentez pour sauver votre peau. Clémentine en personne a épelé votre nom il y a moins d'une heure comme un professeur en occultisme, descendu tout exprès de Lyon, l'interrogeait par-delà la tombe.

L'homme en robe de chambre reprit espoir :

– Interrogez les morts tant qu'il vous plaît, ils ne vous répondront jamais que par la voix de l'un ou l'autre vivant à la recherche de dupes... Que vous a dit, finalement, feu Clémentine? Que je lui avais rendu visite ce soir-là? Je ne l'ai pas nié à aucun moment. Ce dont, en revanche, je vous donne ma parole – la parole d'un abject voleur de cœurs – c'est que je n'ai nullement attenté à ses jours. Qui vous dit, dès lors que vous croyez à sa survie – qu'elle n'a pas avancé mon nom *pour en taire un autre?*... Un conseil, si vous doutez de ma bonne foi... Remettez-vous-en une dernière fois à vos oracles, conviez tous les suspects à une ultime confrontation, pressez feu Clémentine – avec le concours de ce mage venu tout exprès du nord – de vous confesser *toute la vérité*, à commencer par le nom de son assassin, toute autre question risquant de prolonger l'équivoque... Sans doute Clémentine mentait-elle de son vivant comme on respire, mais cela doit lui être désormais interdit?...

Roland Dunoyau se passa la main sur le front, l'en ramena froide et mouillée. Il avait cru toucher au but, redoublé d'efforts pour l'atteindre. Son pistolet lui échappa, tomba sur le tapis.

– Vous arrive-t-il encore de penser à elle? questionna-t-il, perdant pied.

– Souvent, reconnut l'autre. C'était une... une adorable créature! Eh là, qu'est-ce qui vous prend?... Etendez-vous, je reviens... Respirez, là, pro-fon-dé-ment... Vous sentez-vous mieux?

Roland Dunoyau recouvrait lentement ses esprits :

– Oui, je... C'est passé... Si vous vouliez seulement m'aider à retrouver la rue... Merci.

– Merci à vous, au nom des miens! dit rondement le Dr Gabrielle. Tout compte fait, vous auriez pu tirer sans préavis. Revenez me voir un de ces prochains après-midi. Je vous ferai une ordonnance.

XX

INTERMÈDE SCOLAIRE (III)

– Elève Vorobeïtchik, que lisez-vous là?

– *Zadig*, de Voltaire, monsieur. C'est passionnant comme un feuilleton...

– Vraiment? Vous m'écrirez deux cents fois : « J'aime Voltaire, mais sa philosophie m'échappe. » Où avez-vous pris ce livre?

– Dans la bibliothèque de papa, monsieur. Je comptais l'y remettre avant ce soir.

– Je le confisque. Vous l'y remettrez en fin de semaine si vous savez bien vos leçons.

– Mais je les sais, monsieur! Tenez, demandez-moi n'importe quoi... L'Amazone – ou Maranon – a une longueur de cinq mille cinq cents kilomètres, l'Everest culmine à huit mille huit cent quatre-vingt-deux mètres, l'Aube fournit Paris en eau potable... Le tigre rauque, la perdrix cacabe, la cigogne craquette... « Tant que tu ne comprendras pas qu'il faut mourir pour renaître, tu ne seras qu'un passant sur cette terre », a dit Gœthe... Vous me le rendez, dites, mon Voltaire ? Je sais toujours pas comment ça finit.

XXI

LE CŒUR FRAGILE

Mme Adèle refusa tout net son concours, deux morts violentes suffisant, à ses yeux, à étendre la clientèle du « grand 13 ».

Déçu, Roland Dunoyau en appela au juge de paix et au capitaine de gendarmerie, mais tous deux se montrèrent également hostiles, le premier parce qu'il redoutait d'essuyer les foudres de M. Survenant, le second parce qu'il ne croyait apparemment plus que sa contribution personnelle à l'enquête pût lui rapporter de l'avancement.

Entre-temps le Pr Dupont-Masséna, qui avait exigé un supplément d'honoraires, se plaignait du gîte et du couvert et manifestait bi-journellement l'intention de reprendre le premier train pour Lyon, fût-il omnibus. Il se refusait, en outre, à se prêter à toute nouvelle séance à trois parce que : *primo*, Mlle Sibylle souffrait d'encéphalite aiguë depuis deux jours; *secundo*, toute autre interruption inconsidérée, due au fait du questionneur, risquait – comme chacun sait – d'entraîner le décès subit du « sujet ».

Roland Dunoyau, ainsi malmené, n'avait plus

qu'un pion à avancer et misa dessus ses derniers espoirs. Il prit le train pour le chef-lieu, fit passer sa carte à M. Survenant avec un mot d'écrit, fut reçu par lui dans l'heure et lui exposa son projet, attirant spécialement son attention sur le fait que le juge Giacobi et le capitaine Belarmand l'avaient rejeté sans autre examen. Cette insinuation de dernière heure acheva de faire se sauver le lait et d'ancrer M. Survenant dans la contradiction. De qui se moquait-on? Qui menait l'enquête?... Qu'avait à dire Mme Adèle? Qu'avaient à objecter Giacobi et Belarmand?... La séance aurait lieu pas plus tard que le lendemain. Non, à la réflexion, le lendemain était un jeudi, M. Survenant dînait chez le sous-préfet. Elle aurait lieu le surlendemain, vendredi, 9 heures. Comptez sur mon concours, mon cher Dunoyau, merci de m'avoir fait confiance, vous saurez à quelle porte frapper la prochaine fois. Merci à vous, monsieur le juge.

Mme Adèle n'eut pas plus tôt été légalement requise de mettre ses « locaux d'habitation » à la disposition de la justice en vue d'une nouvelle reconstitution – M. Survenant avait finalement préféré le terme officiel de « reconstitution » à d'autres formules sentant plus ou moins le fagot – qu'elle prit feu comme une allumette. Le diable emporte les magistrats autoritaires, les mortes abusives, les clients qui ne consomment pas, façon Dunoyau! Vous les trouverez fatalement à l'origine des ennuis, un M. Vorobeïtchik excepté.

Mme Adèle avait éclaté devant ses « filles », déchirant un mouchoir à belles dents, et, comme elle n'éclatait en moyenne qu'une fois l'an, les petites en furent toutes remuées. Olga lui avança la chaise, Sabine lui mouilla le front, Mireille lui défit son corset, Fifi lui ôta les chaussures. Madame avait trop de sang et d'honnêteté, estima la première; feu M. Albert, le pauvre, aurait pris la chose du bon côté, rappela la seconde, ça n'était pas la mort de l'homme, comme on dit dans le pays, tout juste un petit emmerdement, si l'on en croyait la troisième; rien ne pouvait plus vous dégringoler dessus dans la chambre chinoise dès lors qu'elle était vide, résuma Fifi, sauf, si ça se trouve, le plafond.

Mme Adèle, un coussin dans le dos, les tempes fraîches, le sein décomprimé, et les orteils à l'air, se rassérénait peu à peu. Ces enfants avaient raison. Elle agissait sur réquisition, avait sa conscience pour elle. Restait à décider quelle robe mettre en la circonstance. « La bleue, à pastilles ton sur ton », décida-t-elle intérieurement. Celle que M. Vorobeït-chik, un jour de l'été dernier, avait comparée à un champ de bleuets déteints par l'ondée. Comme chaque fois qu'elle pensait à M. Wens, elle se sentit tout attendrie. « Chéri », murmura-t-elle pour soi-même, à seule fin de s'assurer qu'elle saurait encore bien le dire à l'occasion.

Le juge de paix et le capitaine de gendarmerie, tout en gardant le sourire, furent plus longs à s'incliner. On leur marchait sur les pieds, les traitait méchamment. Ni l'un ni l'autre n'allait le tolérer. Ils en appelleraient plutôt aux autorités supérieures, à commencer par le ministre de la Justice.

Le vendredi soir, Saint-Joseph n'avait pas fini d'égrener 9 heures que tous étaient là, hormis M. Survenant qui ne survint qu'à la demie.

Il avait pris du retard en chemin et s'en excusa, mais sans dire pourquoi.

— On se fait un charlemagne en trois mille points pour un cache-corset de chez Diane? proposa Sabine.

Olga et Mireille échangèrent des regards hésitants.

— Pas moi, dit Fifi. J'ai affaire en bas. Ils vont apprendre qui est l'assassin.

Sabine haussa les épaules :

— La Clémentine le dénoncera jamais. Elle l'aimait.

— Tant qu'elle était en vie! objecta Fifi. Aujourd'hui — mettez-vous à sa place —, elle doit comploter sa mort, rêver qu'on le tue pour le récupérer.

(Fifi, de toutes les pensionnaires du « grand 13 », avait été, de tout temps, la plus romanesque.)

Sabine-la-Forte, Olga-l'Etrangère et Mireille-la-Douce levèrent les yeux au ciel.

— Adieu, la belle! dit la première. Te prends pas l'oreille dans le chambranle, crie fort si tu croises le fantôme dans l'escalier.

La chambre chinoise n'était éclairée que par un triste quinquet, selon les instructions du Pr Dupont-Masséna.

— Asseyez-vous là et là, enjoignit M. Survenant aux suspects, leur désignant une rangée de chaises adossées aux murs. Le Pr et Mlle Sibylle demeureront au centre de la pièce, lui debout, elle assise dans l'un de ces deux fauteuils rapprochés. M. Giacobi, le capitaine Belarmand... (Il hésita une seconde à surmonter sa naturelle méfiance)... M. Vorobeïtchik et moi-même nous réservons d'aller et venir afin d'observer le comportement d'un chacun et de veiller à ce qu'il n'arrive rien de fâcheux au cours de l'exp... la reconstitution. J'entends être scrupuleusement suivi.

– Un moment! intervint le Pr Dupont-Masséna. Allez et venez tant qu'il vous plaira, mais loin de ces deux fauteuils si vous tenez à éviter mort d'homme.

– *Mort d'homme!* répéta M. Survenant, incrédule. Qu'est-ce à dire?

– Je compte projeter le double psychique de Mlle Sibylle du fauteuil numéro un où vous la voyez assise dans cet autre fauteuil vide, le corps physique du sujet demeurant attaché à son « prana » durant toute l'épreuve par une sorde de cordon ombilical, invisible du profane, expliqua succinctement le Pr Dupont-Masséna, réitérant les précisions fournies à Roland Dunoyau. Quelqu'un viendrait-il à couper délibérément ce cordon ou à le rompre par inadvertance en passant entre les deux sièges que cela tuerait le sujet plus sûrement que ne le ferait une balle de revolver, sans que son corps physique portât pour autant la moindre plaie ou lésion et sans que l'on pût déterminer après coup, fût-ce à l'autopsie, la cause de son décès, celui-ci résultant uniquement, si j'ose ainsi dire, d'*un subit retrait de vie.*

Tous les assistants manifestèrent une égale stupeur.

– Le crime parfait, dit rêveusement M. Wens.

– Mais ce... C'est insensé! protesta M. Survenant.

– Nullement. L'âme et le corps du sujet se trouvant dissociés au cours de l'expérience, un tel attentat reviendrait simplement à rompre le contact entre eux, à empêcher l'une de réintégrer l'autre. Je vous prierai donc encore une fois, et ceci avec la plus vive insistance, de ne vous approcher, à aucun moment et sous quelque prétexte que ce soit, des deux sièges se faisant vis-à-vis. J'irai plus loin... (Le professeur appuya son regard profond sur les quatre enquêteurs avec une fixité gênante.) Je compte sur vous, messieurs, pour dresser autour de Mlle Sibylle une barrière infranchissable. Commençons-nous?

Fifi, de l'autre côté de la porte fermée, l'oreille collée au battant, n'en perdait pas une miette. Tout ce qu'on ne sait pas, tout ce qu'on apprend!

– Le sujet dort, reprit bientôt le Pr Dupont-Masséna de sa voix neutre. Non, c'est inexact. Entendez par là qu'il se trouve en état de vacuité, tout en gardant ses facultés sensorielles... Feu Mme Dunoyau va l'habiter d'un instant à l'autre, si ce n'est chose faite, et s'exprimera par sa voix. A vous de l'interroger, acheva-t-il, cherchant Roland Dunoyau dans l'ombre.

Mais le juge Survenant l'entendait d'une autre oreille :

– Patience! Ce soir, c'est moi qui pose les questions...

– Eh, pardon! protesta le professeur. Cela renverse les valeurs, ajoute au danger de l'expérience...

— Tss, il vous en sera tenu compte! fit impatiemment le juge. Vous vous appelez bien Duchastel Clémentine, femme Dunoyau, née à Auch, le deux janvier mille huit cent soixante-dix-huit, décédée impromptument, à Saint-Florent, dans la nuit du vingt-sept au vingt-huit mars mille neuf cent neuf, par suite d'une ingestion involontaire d'aconitine? Répondez par oui ou par non.

Roland Dunoyau, dans son coin, se demanda quelle mouche piquait le juge alors que ce dernier, lors de leur entrevue, lui avait reproché de tourner autour du pot au lieu d'enjoindre tout bonnement feu Clémentine à révéler l'identité de son assassin. A quoi rimait ce futile interrogatoire d'identité?

Feu Clémentine elle-même, inaccoutumée à un tel langage, dut se sentir offensée.

— Oui, n'en répondit-elle pas moins docilement, par la voix blanche de Mlle Sibylle.

M. Survenant, qui n'en espérait pas tant, poussa son avantage :

— Avez-vous épousé M. Roland Dunoyau, ici présent, par amour ou par calcul? Répondez par oui ou par non.

— Par lassitude, dit Mlle Sibylle.

— En aimeriez-vous un autre?

— Oui.

— Depuis quand?

— Depuis toujours.

M. Survenant fit un tour complet autour des deux fauteuils :

— Dites-nous qui.

– Je... Je ne peux pas. Je ne veux pas.

– Est-ce cet homme-là qui vous a rendu visite le soir de votre mort?

– Oui. Il... ne voulait pas venir.

– Est-ce le Dr Gabrielle?

– Non. Le docteur est venu au début de la soirée. *L'autre est venu plus tard.*

– Est-ce lui qui vous a empoisonnée?

– Oui. Je sais aujourd'hui que c'est lui.

– Mais vous ne vous en êtes pas aperçue sur le moment?

– Non, ou je... Je n'aurais pas bu.

– Pourquoi vous a-t-il empoisonnée?

– Parce qu'il ne m'aimait plus. Parce que... Parce qu'il devait avoir peur.

– Peur de quoi?

– *Peur de moi*, peur que je ruine son ménage.

– L'en aviez-vous menacé?

– Oui, pour qu'il vînt.

– L'auriez-vous fait?

– Oui, je... J'y étais résolue.

– Pourquoi?

– Pour le reprendre.

– Dites-nous son nom.

Un lourd silence tomba et plus d'un assistant éprouva l'étrange impression que l'impalpable forme de Clémentine, captive dans cette pièce close par une volonté supérieure à la sienne, secouait la tête en serrant boudeusement les lèvres comme une simple mortelle.

– Dites-nous son nom! répéta sévèrement le juge. Il faut que justice soit faite.

Cause toujours...

Interrogés dans le moment, la plupart des assistants, se référant à la voix de la raison, auraient protesté qu'on leur jouait la comédie, qu'aucun être vivant – en l'occurrence le Pr Dupont-Masséna – ne jouît du démoniaque pouvoir de faire parler les morts.

Voire, *que sait-on de l'au-delà?* Est-il réellement impossible d'établir avec les ombres qui l'habitent de secrets échanges?

L'assassin se le demandait plus anxieusement que tout autre. Il avait déjà tué deux fois, si l'on compte pour rien la mort de Clémentine, cherché à tout le moins par deux fois, et réussi au-delà de tout espoir, à interrompre accidentellement un dialogue à une voix qui, poussé jusqu'à sa conclusion, pouvait lui coûter l'honneur et la vie.

Chaque seconde qui passait le rapprochait d'un injuste châtiment.

Quoi faire?...

Comme l'avait rappelé Fifi à Mme Adèle, il ne se trouvait plus, dans la pièce, ni armoire à faire basculer, ni suspension à arracher au plafond. Il fallait trouver autre chose, non dans la minute, mais dans la seconde, *tout de suite....*

L'assassin chercha à se rassurer en se répétant que, tout ce que la Sibylle avait dit jusqu'ici, elle avait pu l'apprendre en prêtant l'oreille aux commérages, en lisant – et relisant – les gazettes, en additionnant deux et deux. Quand elle avait prononcé le nom du Dr Gabrielle, sans doute l'avait-elle exprimé par hasard, comptant que le docteur, s'il était innocent, en aurait tôt fait la preuve, que si, d'aventure, il était coupable, ça serait tant pis pour lui...

Ce soir il en allait difficilement : toute accusation inconsidérée pouvant se retourner contre son auteur, la Sibylle n'allait désigner personne, à moins... à moins qu'elle fût réellement « habitée ».

Le juge Survenant revenait à la charge :

– *Cet homme se trouve-t-il ici?*

– *O-ui,* répondit feu Clémentine après une sensible hésitation.

– Auriez-vous peur de lui?

– ...

– Si vous n'osez prononcer son nom, désignez-le-nous d'une façon ou d'une autre.

– Je... Je ne peux pas. Je ne veux pas.

On en revenait toujours là.

– Arrêtez, monsieur le juge! souffla le Pr Dupont-Masséna. Le sujet est à bout de force. Je crains pour lui.

Le juge d'instruction commençait lui-même d'avoir mal à la tête, mais il n'était pas homme à déclarer forfait pour autant. Une idée lui vint, lumineuse.

– Est-ce M. Ventre? questionna-t-il perfidement, se souvenant à propos qu'il devait à la pratique de la pêche à la ligne ses plus brillantes réussites.

– Non, dit Mlle Sibylle.

– Est-ce M. Sénéchal?

– Non, dit Mlle Sibylle.

– Ça n'est pas le Dr Gabrielle?

– Non, dit Mlle Sibylle.

Le quinquet charbonnait depuis un bon moment. Quelqu'un tendit la main pour en régler la mèche et une grande ombre se dressa entre les deux fauteuils.

– Est-ce M. Bonnet?

Le juge d'instruction s'interrompit, alarmé. Un râle couvrait sa voix. On perçut le bruit mou d'un corps qui tombe.

– De la lumière, vite! haleta le Pr Dupont-Masséna.

Fifi, blanche comme une morte, fut la première à apporter deux lampes, le docteur Gabrielle le premier à se pencher sur le corps.

– Tout est fini, déplora-t-il en se relevant. Cette femme est morte.

– Mais comment? De quoi? questionna M. Survenant, les yeux hors de la tête.

Tous les assistants s'attendaient – ils en convinrent plus tard – à ce que le docteur répondît : « De rien... *D'un simple retrait de vie.* »

– D'un arrêt du cœur, diagnostiqua-t-il à la surprise générale. Apparemment dû à un excès d'émotion.

L'assassin, seul, savait comment cela était arrivé.

Il avait posé ses mains glacées sur la nuque de Mlle Sibylle, encerclé son cou sans serrer. Il ne voulait que la mettre en garde, lui faire peur, l'empêcher d'en dire trop.

Parole d'homme, il ignorait qu'elle eût le cœur fragile.

XXII

DEMAIN SOIR

Pour le Pr Dupont-Masséna, effondré, il n'y avait pas de problème : *quelqu'un s'était glissé entre les deux fauteuils.*

Mais M. Survenant, M. Giacobi et le capitaine Belarmand se récrièrent d'une seule voix : ce quelqu'un-là aurait dû leur passer sur le corps.

— N'est-il pas vrai, monsieur Vorobeïtchik?

M. Wens sursauta :

— Pardon?

— Le Pr Masséna incline à croire que quelqu'un a réussi à couper l'invisible cordon réunissant Mlle Sibylle à son double psychique, exposa nerveusement M. Survenant. Nous lui objections que nous montions une garde vigilante. N'est-ce pas votre avis, auriez-vous saisi quelque mouvement qui nous a échappé?

— Non, non, dit M. Wens. Personne n'a pu rompre le cercle.

— En ce cas, votre avis est corroborant?

— Corroborant, mais réservé, dit M. Wens, préparant l'avenir à son insu.

Les autres lui jetèrent un regard soupçonneux :

— Quelque chose vous chiffonne?

— Quelque chose me chiffonne toujours, reconnut M. Wens. Cela doit tenir à mes ascendances slaves. (Il soupira.) Je pensais que l'assassin, pressé par les circonstances, vient enfin de se trahir...

– Vraiment? releva aigrement M. Giacobi. Pour moi, si vous voulez mon opinion, il ne nous reste qu'à écrire les noms des suspects sur des bouts de papier, les jeter dans un chapeau et en pêcher un au hasard en priant le Ciel que ce soit le bon... Je répugnais à une telle expérience, qu'on s'en souvienne!

– Moi de même! renchérit le capitaine Belarmand. Je ne crois pas aux sciences occultes.

M. Survenant ignora ces accès d'humeur. Il concentrait toute son attention sur M. Wens :

– Parlez! Je crains que nous courrions notre dernière chance de mettre la main sur le coupable...

M. Wens fut long à répondre. Il ôtait, remettait sa chevalière.

– Une chose est certaine, dit-il enfin et comme à regret. L'assassin avait, ce soir, toute liberté d'aller et venir dans la pièce. Sans cela....

M. Giacobi ne lui permit pas d'achever :

– Les seules personnes à même d'aller et venir librement étaient M. Survenant, le capitaine Belarmand, vous et moi-même! L'auriez-vous oublié?

– Nullement. Je me pénètre lentement – d'une évidence... Connaissez-vous l'histoire du facteur? s'enquit aimablement M. Wens.

– Non, et je ne tiens pas autrement à l'entendre. Le moment n'est pas aux histoires drôles.

– Ça n'est pas une histoire drôle, protesta M. Wens. C'est l'histoire d'un criminel qui a tué neuf fois en franchissant des cordons de police sous l'habit de facteur. On ne soupçonne pas plus un facteur que... qu'un livreur ou un pompier. L'un et l'autre sont protégés par l'uniforme. Personne ne les voit, à proprement parler. Ils appartiennent, en quelque sorte, au décor.

Mme Adèle s'attendrit une fois de plus en embrassant – du regard – M. Wens. Quelle voix il avait, chaude et profonde, comme il s'en servait! Quel charme était le sien! Prenez M. Giacobi, toujours vert et distingué. Prenez le capitaine, ses moustaches viriles et son regard de velours! Peut-être, tout compte fait, M. Vorobeïtchik, trop maigre, plus marqué, était-il moins bel homme? Il ne vous les mettait pas moins dans sa poche avec son air pensif.

– Parlez! insista M. Survenant, énervé. Qui n'apporte pas son aide à la Justice l'entrave, rappela-t-il perfidement.

M. Wens avait déjà la main sur le bouton de la porte :

– Inutile de me presser, mais faites-moi confiance, dit-il d'une voix égale. Nous sommes vendredi. Je vous demande vingt-quatre heures. Avant demain soir, l'assassin aura payé sa dette.

Il allait sortir quand Roland Dunoyau se jeta sur lui d'un élan furieux :

– Dites-moi son nom! haleta-t-il. Tout de suite! J'exige que vous me disiez son nom, ou...

M. Wens lui rabattit les poignets du plat de la main :

– Il vous le dira lui-même... demain soir.

XXIII

SA PART DE PARADIS

L'assassin s'attarda un moment à regarder sa femme dormir – il savait qu'elle ne se réveillerait pas de la nuit car il lui avait fait prendre un somnifère à son insu –, puis quitta la chambre à coucher sur la pointe des pieds et descendit au rez-de-chaussée où était installé son bureau.

Il donna de la lumière, s'assit pesamment à sa table de travail, disposa devant lui une feuille de papier à lettres, frappée à ses initiales, ouvrit l'encrier, y trempa le bec d'une plume d'oie – il était resté fidèle à la plume d'oie comme à d'autres traditions –, écrivit : *Ce samedi 29, Monsieur le Juge...*, puis chiffonna la feuille et la jeta au panier. L'inspiration le fuyait, il n'aurait pas cru qu'il fût si difficile de prendre congé sans faire de phrases.

Un abat de pluie fouetta les volets et il songea que c'était la dernière fois qu'il entendait tomber la pluie. Le feu de bûches, baissant dans la haute cheminée, jeta une lueur brève et il songea qu'il ne verrait plus brûler d'autre feu. Il caressa d'un doigt distrait la main de cire qui lui servait de presse-papier et songea qu'il ne toucherait plus d'autre main. Il n'aurait pas cru qu'il fût si difficile de rompre avec tant d'humbles témoins familiers.

Il avait attiré à lui une autre feuille de papier à lettres, replongé sa plume d'oie dans l'encre.

Je me donne volontairement la mort, écrivit-il tout

151

d'une traite. *Quoique ayant réussi à le dissimuler jusqu'ici au prix de souffrances accrues, je suis atteint d'un mal qui ne pardonne pas et la Faculté m'a depuis longtemps condamné.*

En me tuant, je ne veux qu'épargner aux miens le spectacle d'un martyre sans espoir.

Adieu, pardon.

Il se relut, hocha la tête, mécontent de lui.

Il allait chiffonner cette feuille-là aussi quand on sonna à la porte d'entrée.

9 heures moins 5. Son visiteur était en avance.

L'assassin se leva et jeta un coup d'œil à son image en passant devant une glace qui ne la renverrait plus. Puis il alla ouvrir la porte.

— Bonsoir, mon cher! dit Roland Dunoyau, passant le seuil et refermant son parapluie. (On a beau être veuf et ne plus aimer la vie, le mal est vite attrapé.) J'ai bien reçu votre mot. J'espère que je ne vous dérange pas?

— Nullement, je vous attendais, confirma l'assassin. Otez vos affaires, donnez. (Il les suspendit au portemanteau.) Par ici.

C'était la première fois que Roland Dunoyau pénétrait dans cette maison. Il fut frappé par son harmonie et sa chaude intimité.

— Tiens, vous avez allumé le feu? remarqua-t-il, faute d'inspiration.

— La première flambée d'automne, dit le maître de céans. Un cigare? Un cognac? Cela vous réchauffera.

Roland Dunoyau, encore qu'il n'eût envie ni de l'un ni de l'autre, accepta les deux.

— J'avoue que votre mot m'a intrigué au plus haut

point, reprit-il comme son hôte, se taisant, regardait mourir le feu. « Je vous dirai qui a tué Clémentine et pourquoi », cita-t-il de mémoire. Auriez-vous mené votre enquête à bonne fin? Le savez-vous vraiment?

— Mieux que quiconque, dit l'assassin. *J'ai tué Clémentine de ma propre main.*

Roland Dunoyau reposa maladroitement son verre sur une petite table basse où il fit un rond :

— Vous plaisantez?

— Je plaisante d'ordinaire plus finement.

Après avoir reposé son verre, Roland Dunoyau cracha son cigare.

— Ainsi ce serait vous qui...? fit-il, incrédule.

L'assassin inclina lentement la tête :

— Pardonnez-moi si je vous blesse, mais je vous dois, me semble-t-il, quelque explication... Feu Clémentine a été mon premier amour et j'imaginais, à cette lointaine époque, qu'elle serait le seul. L'ai-je, sans le vouloir, secrètement déçue, meurtrie? C'est possible. Les jeunes hommes ne connaissent rien aux jeunes filles. Nous avons assurément souffert tous deux d'une rupture inévitable, moi probablement plus qu'elle, mais peut-être, sauvé par l'ambition, me suis-je consolé le premier?... Une chose est sûre : j'aurais juré qu'elle m'avait depuis longtemps oublié quand elle s'est rappelée à moi.

Roland Dunoyau reprit son verre, le vida d'un trait. Le sang battait à ses tempes. Il savait désormais qui frapper, tenait sa vengeance :

— Poursuivez!

— J'avais jadis adressé à Clémentine des lettres plus que tendres, reprit, à regret, l'assassin, de ces

153

lettres non datées, sinon du jour, qui, vingt ans plus tard, *peuvent encore passer pour des lettres écrites de la veille*... Je n'avais pas songé à les lui redemander... l'aurais-je fait, qu'elle s'y fût sans doute refusée... Quand un méchant hasard nous remit en présence dans cette petite ville où j'étalais un tranquille bonheur, elle se plut à m'en rappeler les termes, à m'en citer des passages... N'avait-elle, à l'en croire, jamais cessé de m'aimer, cherchait-elle plutôt à assouvir une tardive vengeance?... Je ne sais... Toujours est-il qu'elle me plaça, dès notre deuxième rencontre, devant ce dilemme : ou j'abandonnais mon foyer pour lui revenir, tout recommencerait, entre nous, comme avant, ou elle éparpillait mes lettres à tout vent, jurerait à ma femme et à vous que je venais tout juste de la séduire...

Après avoir vidé son verre, Roland Dunoyau reprit son cigare, tira haineusement dessus :

– Mon pauvre ami!... Ne pouviez-vous l'amener à composition, lui vanter l'attrait défendu des 5 à 7?

– Nous ne voyions plus les choses sous le même angle, plaida loyalement l'assassin. Elle se disait malheureuse, souhaitait retrouver les élans de sa jeunesse. J'étais comblé, assagi, père, sincèrement épris d'une autre. Comment nous entendre?... Peut-être – je m'en avise aujourd'hui – lui demeurais-je secrètement attaché, mais...

– Mais?

– Elle en exigeait trop et *il y a temps pour tout*. Temps pour la semence, temps pour la fenaison. Temps pour l'égarement, temps pour la certitude. *Notre temps, à nous, était depuis longtemps passé.*

Roland Dunoyau serra les poings :

– Ça n'étais pas une raison pour la tuer!

– J'en conviens. Aussi l'ai-je tuée malgré moi.

– *Malgré vous?*

– Jugez-en. Le soir de sa mort, elle m'attendait dans une robe dont j'avais gardé le soyeux souvenir, avait débouché une bouteille de xérès. Je lui tournais le dos, mais l'apercevais dans une glace dont elle ne se méfiait pas, quand elle versa dans mon verre le contenu d'une fiole dissimulée dans les dentelles de sa manche. Qu'auriez-vous fait à ma place, je vous le demande?... Echangé d'instinct les verres?... Tel a été mon réflexe et *tel a été mon crime.* J'ajoute que je n'ai pas cru un moment qu'elle méditait de m'empoisonner, me suis sottement imaginé qu'elle comptait plutôt, à l'aide d'une drogue, me retenir auprès d'elle jusqu'au matin...

Roland Dunoyau demeura silencieux. Il ressassait les phrases couchées *in extremis* par feu Clémentine sur son journal intime :

Tout est prêt, couche et poison.

Choisis, mon bien-aimé!

Ou je te reprends, ou je me voue à la damnation éternelle!

Attisé par le vent d'est, le feu mourant se reprit à ronfler dans la cheminée alors que la lumière des lampes baissait de seconde en seconde, faute d'huile.

– Voilà, je pense vous avoir tout dit! acheva l'assassin, laissant percer le soulagement d'un homme venu à bout d'une tâche ingrate. Qu'allez-vous faire maintenant?

– Vous tuer, dit Roland Dunoyau.

– J'y comptais. Etes-vous porteur d'une arme quelconque?

– Non, par malheur! regretta le veuf. En me rendant à votre invitation, j'étais loin de me douter que j'allais tomber sur l'homme que je cherchais!

L'assassin ouvrit un tiroir et en tira un pistolet qu'il posa sur le bureau, la crosse tournée vers son hôte:

– Prenez le mien... Jetez un coup d'œil sur cette lettre...

– *Je me donne volontairement la mort*, lut Roland Dunoyau à mi-voix. *Quoique ayant réussi à le dissimuler jusqu'ici au prix de souffrances accrues, je suis atteint d'un mal qui ne pardonne pas et la Faculté m'a depuis longtemps condamné. En me tuant, je ne veux qu'épargner aux miens le spectacle d'un martyre sans espoir. Adieu, pard...* Dites-vous vrai?

L'assassin secoua la tête:

– Non, c'est un pieux mensonge, mais une telle lettre, accréditant la version de mon suicide et vous assurant l'impunité, devrait vous ôter tout scrupule d'en finir, pour autant que vous en éprouviez... Ayez l'obligeance de tirer au cœur, il me déplairait d'être défiguré. Vous me mettez, après, l'arme dans la main... Voyons, qu'attendez-vous?

Roland Dunoyau s'était emparé, non sans répugnance, de ce revolver qu'il ne connaissait pas.

– Une dernière précision, exigea-t-il, le sourcil froncé. Dès lors que vous êtes résolu à payer et à en finir avec la vie, pourquoi ne pas vous tuer *vous-même?*

– Parce que je crois en Dieu et que les suicidés meurent sans confession, parce que tout péché mérite miséricorde, dit l'assassin, choisissant ses mots. Parce qu'il est juste que vous preniez ma vie, mais non ma part de paradis. Parce que je compte sur vous pour m'aider à franchir ce pas difficile.

Une nouvelle bouffée de haine emporta Roland Dunoyau :

– Du diable si j'y consens! Ce que je veux justement, moi, c'est vous voir rôtir en enfer! éclata-t-il, se dirigeant tout droit vers la porte. *Tuez-vous vous-même!*

Peut-être, ce disant, renonçait-il à se venger?

Où aurait-il pris le méchant courage – aujourd'hui qu'il avait cessé de chérir Clémentine – de presser froidement sur la détente?...

Après son départ, l'assassin se retrouva seul avec lui-même et ses problèmes.

Personne ne savait qu'il était coupable, hormis Roland Dunoyau, qui n'en dirait rien à personne. La vie pouvait continuer comme devant. Une vie écourtée par les regrets, le remords, mais que rien ne viendrait plus menacer...

L'assassin éteignit la lumière dans son cabinet, monta lentement l'escalier, la main à la rampe, poussa la porte de la chambre à coucher où sa femme continuait de dormir d'un sommeil confiant, et c'est alors, comme il ôtait sa robe de chambre, qu'une lettre en tomba. Une lettre sans adresse.

Il l'ouvrit, la lut et se sut damné sans rémission.

Il était passé minuit quand l'assassin parvint aux Remparts, battus par la pluie et le vent.

En ayant atteint le point culminant, il chercha du

regard, sans la trouver, la petite ville endormie à ses pieds, monta sur la ceinture de pierres écornées, prit dans sa poche la lettre sans adresse et la déchira en menus morceaux. Ses débris voletaient encore de-ci de-là, rabattus par la pluie, quand il se jeta dans le vide d'une hauteur de quarante mètres, s'en répétant les termes :

Je n'oserai pas le dire, c'est pourquoi je l'écris.

Je sais que c'est toi qui l'as fait. J'ai vu la photographie dans Le Bon Républicain. *Tu avais gardé le pardessus, toi seul pouvais cacher la canne.*

Hier soir, seul quelqu'un debout, qui va et vient, pouvait faire peur à la voyante.

Ça restera toujours entre nous, papa chéri, et je voudrais qu'on n'en parle plus.

J'aimerais t'aider.

Ton grand fils.

Ainsi que l'assassin y comptait, sa chute devait passer pour un malheureux accident.

Le petit Wenceslas fut seul à soupçonner qu'il avait précipité son père dans la mort en lui exprimant maladroitement son amour.

Menton, janvier 1956-octobre 1957.

Les Maîtres du Roman Policier

Première des collections policières en France, Le Masque se devait de rééditer les écrivains qu'il a lancés et qui ont fait sa gloire.

IMPRIMÉ EN FRANCE PAR BRODARD ET TAUPIN
58, rue Jean Bleuzen - Vanves - Usine de La Flèche.
ISBN : 2 - 7024 - 1660 - 8
ISSN : 0768 - 1089

H 52/0955/6